JN065668

ノーベル賞への夢を紡ぐ

もっと知りたい！

「科学の芽」の世界

PART

9

筑波大学出版会　　監修 筑波大学長 永田恭介　　「科学の芽」賞実行委員会 編

Introduction to The Kagakunome ('Science Buds') Awards
~Collections of Students' Work~

supervised by NAGATA Kyosuke

University of Tsukuba Press, Tsukuba, Japan
Copyright © 2024 by NAGATA Kyosuke

ISBN978-4-904074-82-4 C0040

ふしぎだと思うこと
これが科学の芽です
よく観察してたしかめ
そして考えること
これが科学の茎です
そうして最後になぞがとける
これが科学の花です

朝永振一郎

朝永先生の色紙。京都市青少年科学センター所蔵

朝永振一郎博士

　科学する心とその喜びをやさしい言葉で見事にいい尽くしたこの有名な色紙は，1974（昭和49）年11月6日に，国立京都国際会館で湯川秀樹・朝永振一郎・江崎玲於奈の三博士を招いて開かれた座談会「ノーベル物理学賞受賞三学者 故郷京都を語る」（主催：京都市，京都市教育委員会）で，三博士に，京都の子どもたちに向けた言葉をとの要請に応えて，朝永先生が書かれたものです。実物は，京都市青少年科学センターにあり，筑波大学ギャラリー朝永記念室にもコピーがあります。このときの講演でも述べていますが，朝永先生は，小学校の習字で先生から「お前はなんてこんなへんな字を書く」といわれて以来，字が苦手で，色紙のたぐいはだいたい断っておられたそうです。しかし，このときは断り切れなかったのでしょう。おかげで私たちはこのすばらしい言葉を受け継ぐことができました。

　この言葉は，科学の心を表すと同時に，科学する心を育むには，何が大切かもよく表していると思います。朝永先生は，子どもの頃から，科学の芽となる「ふしぎ」をいっぱい見つけ，それを自分の手を動かして実験し，納得がいくまで考えました。

　21世紀の世界に生きる若いみなさんも，この色紙の言葉を胸の中にとどめて，科学する心を培ってほしいと思います。筑波大学は朝永振一郎記念「科学の芽」賞の事業を通じて"科学っ子"，"科学にチャレンジする若者"を応援しています。ぜひたくさんの方々からの応募を期待します。

目　　次

第2章　「科学の芽」を育てる〜発明・発見は失敗から〜（中学生の部）

あとがき　〜子どもたちのふしぎを育てる「科学の芽」賞〜

「科学の芽」賞受賞作品は，インターネット上に全文が公開されています。
筑波大学の公式ホームページ（https://www.tsukuba.ac.jp/）から，「社会連携」
→「小中高生向け」→「「科学の芽」賞」，とたどってご覧ください。

「科学の芽」賞に寄せて

「ふしぎ」見つけることがまず大切，そして ---- ：
新型コロナウイルスのワクチンの開発

永田恭介

　「科学の芽」賞は 18 年の歴史を重ねてきました。応募作品数は，のべ 38,063 作品となり，参加人数は 45,326 人（団体応募の人数を合わせたのべ人数）となりました。この数年は，新型コロナウイルス感染症が猛威を振るう中でも第 17 回（2022 年度）には 2,328 作品，第 18 回（2023 年度）には 2,210 作品の応募がありました。学校生活がさまざまに制限される中でも粘り強く研究を続けた児童・生徒の皆さんはもちろんのこと，それをサポートしてくださった先生方や保護者の皆さまの存在があったからこその「科学の芽」賞であったと受け止めています。

　さて，「科学の芽」賞に応募してくださった皆さんの中には，将来のノーベル賞受賞を夢見て研究に励んでいる人もいるでしょう。2023 年はノーベル生理学・医学賞をカタリン・カリコ博士とドリュー・ワイスマン博士の 2 人が受賞したことが大きな話題になりました。受賞理由は，ご存じの人も多いと思いますが，新型コロナウイルスのワクチン開発にも役立った独創的な発想でした。

　皆さんもインフルエンザなどさまざまな感染症から身を守るためにワクチン接種を受けたことがあると思います。基本的には，ウイルスに対するワクチンは，弱毒化したウイルスをニワトリの卵（発育鶏卵）の中で培養し増殖させ，そこから取り出し固定化したウイルスやウイルスタンパク質を使っていました。しかし，この方法ではワクチン製造に手間がかかり，安全性の確認にも時間がかかります。もし，この方法で新型コロナウイルスのワクチンを作ろうとしたら，短期間の間にワクチンは完成できませんでした（一体，どのくらいの数の発育鶏卵が必要だと思われますか？）。

　カリコ博士たちが考え，新型コロナウイルスのワクチンに応用された方法は違いました。タンパク質は細胞内にある RNA から作られ，その RNA は DNA から作られます。そこで，ワクチンを体内に注射するのではなく，ワクチン効果を持つタンパク質を作る設計図情報を含む RNA をヒトの細胞内に取り入れさせ，細胞内でタンパク質を作らせようと考えたのです。この発想自体は以前よりあったのですが，注入された RNA が細胞内で異物と認識され，炎症反応などを起こしてしまうという問題点が

ありました。

　カリコ博士らはさまざまな仮説を立て，数えきれないほどの実験を繰り返した結果，RNA の構造の一部（キャップ構造と言います）を修飾することで，炎症反応を起こさずに RNA を細胞内に入れる技術の開発に成功し，製薬会社と共同して新型コロナワクチンを開発したのです。開発に着手してから 1 年も経たない 2020 年末に実用化され，世界各国に広がったのは記憶に新しいところです。そして，もう一つ忘れて欲しくないことは，このカリコ博士の成功を支えたのは，キャップ構造を発見し，その生物学的意味を追い続け，長年の基礎研究を継続してきた方々であり，それを先端で牽引（けんいん）し続けてきたのは日本人科学者，古市泰宏（ふるいちやすひろ）博士であったということです（カリコ博士の受賞講演を紐解（ひもと）いてみてください）。

　「科学の芽」賞はノーベル賞を受賞された朝永先生の「全国の児童生徒の皆さんに科学者を目指してほしい」という願いを受け継ぎ，2006 年に始まりました。

　「ふしぎだと思うこと　これが科学の芽です

　よく観察してたしかめ　そして考えること　これが科学の茎です

　そうして最後になぞがとける　これが科学の花です」

と朝永先生は色紙に書かれ，その言葉を子ども達に語りかけられました。ここには，物理学者ニュートンが体系化した古典力学では決して説明できない原子や分子等のミクロな世界での現象の解明に果敢に挑戦した朝永先生の思いが込められています。

　「科学の芽」賞が大切にしているのは「ふしぎ」と思う気持ちです。研究成果の人類への貢献が評価されてノーベル賞を受賞された朝永先生もカリコ博士も，はじめはさまざまな現象に「ふしぎ」を見出し，純粋にその理由を知りたいという気持ちから研究を始められたのだと思います。研究成果が人類の幸福のために役立つことがあればそれ以上望ましいことはありませんが，自分が見つけた「ふしぎ」の「なぞ」がとけたら純粋に楽しいし，ひとつ自分を成長させることができます。

　「科学の芽」賞は 18 年の歴史をもつので，受賞者の中には現役の科学者として活躍されている方もたくさんいます。第 II 編には，これまでに受賞した先輩の科学者からのメッセージも掲載しています。第 I 編の受賞作品集とともに，先輩たちのメッセージが，探究を始める読者の皆さんに勇気を与えてくれると思います。児童・生徒の皆さんがこの本から大きな刺激を受けて，さまざまなことに疑問を持ち「ふしぎ」を感じ，「なぜ」という問いに自ら答える探究に取り組むことを大いに期待しています。

令和 6 年 6 月吉日

[筑波大学長]

SCIENCE

第Ⅰ編

「科学の芽」賞の作品から

第1章「科学の芽」の発見
～めざせ科学っ子～（小学生の部）

「科学の芽」賞
────────────小学生の部について

　今年の「科学の芽」賞への応募作品も，大変に質の高い作品がたくさんありました。これら一つ一つの作品の「科学の芽」から咲き誇る「科学の花」は，きっと応募者のみなさん一人一人にとって，かけがえのないものになったのではないでしょうか。

　科学者レイチェル・カーソンは，その著書『センス・オブ・ワンダー』の中に，たくさんの自然に触れた時の感動を著しています。そして，このような自然に触れた時の感動を感じる感性は，子どもから大人に成長していくにしたがって，残念ながら鈍くなってしまうことも指摘しています。きっと，受賞の有無にかかわらず，「科学の芽」賞の応募者のみなさんは，そのような感性を磨くことができたことでしょう。

　では，「科学の芽」賞の研究を今より少しでも充実させ，みなさんの自然に触れた時の感動を感じる感性を磨くためには，一体どのように自然と向き合えば良いのでしょうか。「科学の芽」賞の【審査の観点】に即して考えていきましょう。

【審査の観点】
① テーマの独創性：日常的な自然や現象の中から独創的な問題をみつけ出しているか。
② 探究力：問題を解決するための観察・実験・調査を的確に根気よく行っているか。目的を達成させるための実験観察方法を工夫しているか。
③ 表現・活用：自分なりに結果をまとめ，それをわかりやすく人に伝えるものになっているか。研究成果を活かしたり，創造したりしているか。

　まずは観点①についてです。テーマ選びは，自分がこれからどんなことを研究していくのかを方向づけるとても大切なものです。自分が本当に調べたいことは何なのかを明

らかにするために，日頃から自然に触れてみて，不思議だと思ったことを書き留めておくといった方法を実践している人もたくさんいると思います。この時，「なぜ」から始まる疑問をもつことがほとんどだと思います。けれども，「なぜ」から始まる疑問を調べようとすると，調べる対象がとても広くなってしまい，本当に調べたいことを絞ることが難しくなります。「なぜ」から始まる疑問には，それに対する自分の考えをもつことで，その考えを確かめる機会になります。このように，「なぜ」という疑問で終わるのではなく，その「なぜ」に対する自分のアイディアを時間をかけてでも明らかにしていくことで，自分の本当に調べたいことが明らかになっていくでしょう。

　自分の本当に調べたいことが見つかったら，それが，他の誰かによって，既に解決されていないかを調べることも大切です。自分の調べたいことが既に誰かによって解決されているなら，それは独創性があるテーマとはいえません。自分が本当に調べたいことが，誰も調べていないということをはっきりさせるためにも，インターネットや本などで，いろいろな研究に目を通すということは大切です。もしその時に，似たような研究があったとしても，その研究と自分の調べたいこととの違いをはっきりとさせることができれば，それは独創性のある研究といえます。

　次に，観点②と③についてです。これらを充実させるには，時間や手間がかかります。研究によっては，同じ題材で，何ヶ月，何年間も研究をしているケースが見られました。このように，その一年，もしくは夏休みだけの研究期間でまとめることができないのであれば，途中でも一旦その研究についてまとめて，「〜については，…ということは分かったけれども，〜についてはまだ分からないため，研究を続けていきたい。」というようにして，次の機会に持ち越すことも一つの方法です。そのように長い期間をかけて続けられてきた研究は，多数のデータに基づいた確かさが表現されているだけでなく，研究でうまくいった，いかなかったといったような山あり谷ありの表現が垣間見られ，まるで物語を読んでいるかのような感覚にさせてくれます。もちろん，長い期間をかけずとも，観察や実験をした時に，それが予想していなかったものになったことも含めて記録したり，たくさんのデータを丁寧に記録したりすることで，研究に物語性が生まれていきます。

　これらの【審査の観点】は，「科学の芽」賞を通じて自然に触れて感動する感性を磨くためのコツを教えてくれていると思います。これらのコツを通じて，来年度も多くの質の高い研究に出会えることを期待しています。

"暑さ""寒さ"を 1番しのげるのはどれ? 「快てきな小べや」研究

秋山 ラン
あきやま

[筑波大学附属小学校 3年生]

暑さ寒さを通さない壁について調べたいけれど、どうやって? と考え中に、小さな部屋の中に温湿度計を入れることを思いついて、ワクワクしました。

部屋を手作りしたり、温度の変化を長時間記録するのは大変だったけれど、7つの素材のもつ「力」を知ることができました。火や水には強い? 他の素材は? さらに研究してみたいです。

Ⅰ 研究の概要

☑ 研究の動機・目的

　世界のいろいろな家を本で見ていたら，暑い国や寒い国で気候によって家が全然違うことを知った。前に沖縄に行ったときに，大きなまどを開けてすだれをつけていたことを思い出した。住む人が快てきに過ごすための工夫なんじゃないかと思う。かべや屋根の素材によって，暑さや寒さを止める力が違うのかな。自分で実験したいと思った。

☑ 実験の準備

　小さい家のような部屋を作って，暑い場所と寒い場所で，部屋の中の温度と湿度を調べる。ゆかをフローリングっぽくするために，木の板とぼうでゆかと柱を作る。その上に屋根とドアつきまどのあるかべをくっつけてかぶせ，外したり温度計が出せるようにした。

　いろいろな素材のかべを作りたいので，自分で切ったり，くっつけたりできる材料をさがして7つに決めた。

図1　木の板とぼうでゆかと柱を作る

①ダンボール　②6枚重ねた新聞紙　③発泡スチロール　④木の板　⑤表面がアルミニウムのサンシェード　⑥とう明なプラスチックの下じき　⑦竹のランチョンマット

☑ いざ実験！

【実験1：暑さをしのげる選手けん！】

　天気予報を見て，一番暑くなりそうな日を選び，12時から3時間，日なたにおく。

○予想　木は本当の家に使われているし，厚いので一番暑くならない。

　2番目は発泡スチロールで，配達さ

図2　それぞれの部屋を日なたにおいて温度と湿度をはかる

れた中の野菜が冷たいままだったので暑くなりにくいと思う。

○分かったこと　最後まで低い温度をたもてたのが木の部屋だったが，湿度は高くなっていた。新聞はうすいからすぐに温度が上がってしまうと思ったけれど，いがいに暑くならなかった。湿度が特別に低いのは，竹の部屋だった。竹を編んだので，風が少し通って閉ざされていないからだと思う。

【実験２：かべを厚くすれば，もっと暑さをしのげるのか？】

【実験３：「まど」をつけたら湿度が下がってもっと快てきになるのかな？】

【実験４：寒さをしのげる選手けん！】

冷蔵庫に入る部屋は４こまでなので，２回に分けて実験をする。

○予想　１位の予想は暑さと同じで木の部屋になる。２位は，寒さが苦手なねこがダンボールの中が好きだから，ダンボールの部屋になると思う。

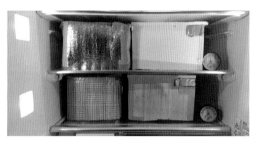

図３　冷蔵庫の中に入れた４つの部屋

○分かったこと　やはり，木の部屋が一番長い時間寒さを通しにくかった。アルミニウムの部屋は，暑さには強かったのに，今回は，冷蔵庫の温度より低くなってしまった。

竹の部屋は，冷蔵庫の中でも湿度が少し低くて，その他は同じくらいだった。

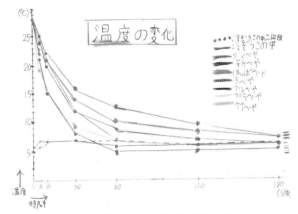

図４　冷蔵庫の中での各部屋の温度変化

【実験５：あたたかいココアを守れるのは？選手けん！】

○分かったこと　予想通り木の部屋の中のココアが，最後まで温度が一番高かった。

▼ 考察

素材の種類や厚さによって，「暑さや寒さをしのぐ力」「はねのける力」「温度を通さない力」が変わってくることが分かった。

▼ さらに研究したいこと

今回は自分で作ることができる材料にしたが，本当の家に使われているかべの材料を使って実験したい。たとえば，レンガとか石とか重くて厚いものは，暑さや寒さをどれくらい通さないのか，自分で実験して知りたい。将来は建築家になりたいので，建物に使われている材料のことをもっと調べていきたい。

作品について

「私の将来の夢は建築家になることです」。夢は大変なことに立ち向かうときの強力な助っ人になってくれます。今回は，板や棒を同じ長さに合わせることに苦労したようですが，夢をもち続けて，探究や工作を続けていけば，それもなんなくできるようになると思います。そして，さらに深い探究ができるようになるのではないでしょうか。

この研究では，まず7種類の違う材料で作られた部屋の中の温度と湿度変化をはかっています。そしてかべの厚さにも着目して，どちらの実験でも，木で作られた部屋が，一番低い温度を保つことが分かりました。低い温度を保つことができても，湿度は高いため，それでは快適な部屋にはならないので，窓をつけた実験を行うようにしました。いつも，快適さを探究しているところが，とてもよいと思いました。

今回の研究からワンステップレベルアップするヒントになると思うのですが，7種類の材料の厚さをそろえる努力をしてみるとよかったです。一番厚い材料に合わせて重ねる方法が一番やりやすいでしょうか。そうすれば，暑さ寒さを一番しのげる部屋に木を使うとよいという結論が，もっと説得力のあるものになります。

模型を使った実験ですが，秋山さんは，常に，部屋の中にいるイメージで実験を進めていたのではないでしょうか。それほど，真剣（しんけん）に探究する姿勢を感じられる研究になっていました。

作品の中で，秋山さんは，家族への「ありがとう」の気持ちを書いていますが，冷蔵庫を占領（せんりょう）させてくれたり，窓作りの手助けをしてくれたりと，周囲の人たちの応援（おうえん）があっての研究だったと思います。大人の世界でも，独力で研究成果を出すことができるのは稀（まれ）だと思います。たくさんの方の応援や協力があってこそ研究が成り立つことが多いのです。協力を惜（お）しみなくしてくれた人への感謝の気持ちを忘れていないことも立派だと思います。

スペースの関係でこの紙面では書くことができなかったのですが，実験結果を明確にするため時刻設定や実験を繰（く）り返すときに同じ時間になるようにするなど，たくさんの配慮（はいりょ）がありました。ここにも，探究意識の高さが感じられる作品でした。

2022

第17回
小学生の部

ダンゴムシは本当にいついかなる時でも迷路の達人なのか

橋本 類（はしもと るい）

［洛南高等学校附属小学校 3年生］

ダンゴムシの交替性転向反応という本能行動が、どんな状況においても見られるのか、ダンゴムシの目を回したり、迷路を回転させたり好物や嫌いなものを設置したり、様々な研究で調べました。また、アリ、ハサミムシ、ワラジムシなど、他の生き物にも同じように交替性転向反応が見られるかの実験も行いました。

Ⅰ 研究の概要

✍ 研究の動機・目的

　迷路の達人であるダンゴムシ。でも，もし目が回っていたり，迷路が回転していたりしたらどうだろう。大好物がゆうわくしたり，きらいな物がとおせんぼしているときでも迷路の達人なのか。気になったので，実験を行うことにした。

🔬 実験方法および結果

【準備したもの】段ボール，空箱，カッター，はさみ，
くぎ，ハンマー，つまようじ，方眼紙，セロテープ

　空箱に方眼紙をはり，くぎとハンマーで穴をあけ，
差しこみ式の迷路を作成した。

　虫取りに行き，協力してくれそうな虫を探した。

図1　差しこみ式迷路

| ぐぇー！ | ミツ使います | やりたくない | しほいそがしい | ←り | はずかしいけどがんばる |

図2　実験に参加した虫

【実験方法】

(1)　スタートからゴールまで，右，左，右……と交ごに曲がりながら抜けられるか

(2)　10回実験をして点数をつける

　　・迷わず抜けられたら10点　　・途中で迷っても，ゴールすれば5点

　　・別の出口から出たり，止まってしまって動かなかったりして失敗した場合0点

(3)　いろいろな迷路で試す　①ふつうに迷路　②目が回ってフラフラで迷路

　　③回転迷路　④大好物のゆうわく迷路　⑤きらいなものでとおせんぼ迷路

【実験結果】

表1　実験①の結果

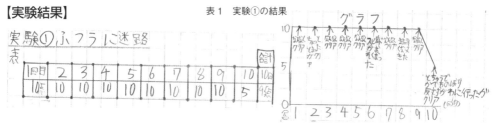

実験①ふつうに迷路

1回目	2	3	4	5	6	7	8	9	10	合計
10点	10	10	10	10	10	10	10	10	5	95点

実験結果：本当にダンゴムシは交ごに曲がりながら迷路をクリアできる。

表2 実験②の結果

実験②目が回ってフラフラで迷路
表

1回目	2	3	4	5	6	7	8	9	10	合計10回
10点	10	10	10	10	10	10	5	10	10	95点

実験方法：迷路をする前に虫かごを10回，回す。

実験結果：スピードが落ちたり止まったりもどった
りすることもあるがゴールできる。

表3 実験④の結果

実験④大好物のゆうわく迷路
表

1回目	2	3	4	5	6	7	8	9	10	合計10回
5点	5	10	0	5	0	10	0	10	10	55点

実験方法：迷路に大好物のかつお節等を設置する。

実験結果：バラツキが出た。10点は4回あるが，
0点も3回あるという不思議な結果に
なった。

表4 実験⑤の結果

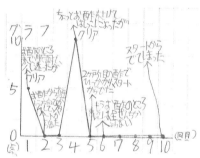

実験⑤きらいなものでとおせんぼ迷路
表

1回目	2	3	4	5	6	7	8	9	10	合計10回
5点	0	0	10	0	0	0	0	0	0	15点

実験方法：迷路に嫌いなお酢を設置する。

実験結果：成功率が15％。0点が8回，1回目に
5点。10点もある不思議な結果だった。

▼ 考察および結論

　ダンゴムシは，いかなる時でも迷路の達人というわけではなかった。でも，予想と
は違い，目が回っても回転していても能力を発揮できる。気分であちこち寄り道もし
ない。何回か実験すると迷路を記憶しているように進む。実験④大好物のゆうわく迷
路は，かつお節のにおいが原因。なぜなら結果にばらつきはあったが，いずれの回も
かつお節までは到着したからだ。実験⑤きらいなものでとおせんぼ迷路，これもに
おいだが，お酢のにおいが嫌いという感じがして実験をしていてもかわいそうだった。

▼ 感想

　実験④と⑤はまだ，疑問が残った。迷路を抜ける能力とにおいについてしっかり調
べるには10回では足りなかった。次回は大きなサイズで高さもある迷路に挑戦したい。

作品について

　迷路の達人であるダンゴムシが，どんな状況でも迷路をクリアするのかを確かめた研究でした。回してみたらどうなるのか，大好物を置いてみたり，嫌いなものを置いてみたりしても迷路をクリアできるのか……様々な状況を思い浮かべ，6種類の実験を発想しました。橋本さんがダンゴムシの身になって考えることができたからこそ，発想を広げて実験を計画することができたのだと思います。

　根気のいる実験を繰り返し行い，ダンゴムシの動きから点数を決め，その記録をしっかりと取ることができたこと，そして，それをグラフにしてまとめたことで，それぞれの実験を比べながら考えることができたのでしょう。「実験①ふつうに迷路」を始めに行い，その実験と他の実験を比べることで，ダンゴムシにどのくらいの影響を与えたのかが分かりますね。素晴らしい方法です。

　特に実験④や⑤で置いた，かつお節やニンジン，お酢を含んだティッシュの影響には驚きました。においが迷路を脱出するのに影響を与えているのかもしれないということですね。ダンゴムシは見えているものだけでなく，においのような

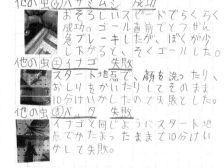

図3　他の虫での実験レポート

見えないものをも頼りにして迷路を解いているのかもしれませんね。このことについて特筆すべきは「もう少ししっかり調べるには，10回では足りなかった」という最後のページの感想に書いてあるこの言葉です。分かったことにするのではなく，結果から考えたことをより確かなものにしようとする姿勢は，これからも持ち続けてほしいと感じました。

　紙幅が狭く前頁では紹介できませんでしたが，橋本さんはおまけの実験⑥（図3）として，ダンゴムシ以外の虫でも，迷路を脱出できるのかを確かめています。他の虫に迷路ができたか，できないかではなく，虫が迷路をどのように通ったのかがしっかりと観察されています。「他の虫ではどうか？」と疑問をもち，丁寧に探究しようとするその姿勢，これからの学習にも活かしてほしいと感じました。

アゲハの大研究3

〜幼虫の時の記憶は成虫になっても残るのか〜

長井 丈
（ながい じょう）

[神戸市立井吹東小学校 3年生]

ぼくが育てたアゲハは自然に放す時にぼくの周りを飛ぶので、ぼくの事を覚えてくれているのではないかと思っていました。去年の研究でアゲハにも脳があることを知り、人間と同じように記憶できるのではないかと思い、この研究を始めました。実験方法から考えることは大変でしたが、幼虫の時の記憶が成虫になっても残ると分かった時はとてもうれしかったです。

Ⅰ 研究の概要

研究の動機・目的

100匹以上のアゲハチョウを育てて羽化させてきた。そのほとんどが放した後でぼくの周りを飛ぶが，野生でつかまえたチョウは周りを飛ばない。このことから，アゲハはぼくのことを覚えているのではないかと考えた。去年の研究から，アゲハに脳があることが分かり，脳があるということは人間と同じように記憶することができると考えられる。幼虫の時の記憶を成虫になっても持ち続けている可能性があると考えた。

実験と結果

【実験１：ラベンダーのにおいと電気ショックを同時に与えると，記憶するか】

アゲハにラベンダーのにおいと電気ショックを同時に与えることにより，「ラベンダーのにおいをかぐと嫌なこと（電気ショック）が起こる」ということを体験させる。
○アゲハにとって「忌避性」も「嗜好性」もないラベンダーのにおいを選定。
○ショックを受けたかどうかは「臭角を出すこと」で判断。ショックの種類によって個体の反応に差があったため，どんなタイプの幼虫にもきく電気ショックを与えることにした。電気ショックは，一般家庭でも入手しやすい低周波治療器を使用。

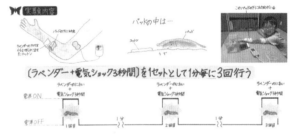

（ラベンダーのにおい＋電気ショック3秒間）を1セットとして1分毎に3回行う

図1 実験1の方法

表1 実験1の結果

グループB3…実験Bを終齢になって3日目から始めたグループ
グループB4…実験Bを終齢になって4日目から始めたグループ
グループB5…実験Bを終齢になって5日目から始めたグループ
グループB6…実験Bを終齢になって6日目から始めたグループ
●…臭角を出した　●…緑の液を出した　前…前蛹　さ…さなぎ

グループ	個体番号	3日目 1回目	2回目	3回目	4日目 1回目	2回目	3回目	5日目 1回目	2回目	3回目	6日目 1回目	2回目	3回目	7日目 1回目	2回目	3回目	8日目 1回目	2回目	3回目
グループB3	6					●					前	前	前	前	前	前	さ	さ	さ
	7	●	●	●										前	前	前	さ	さ	さ
	8	●	●	●	●	●	●	●	●	●							前	前	前
	9	●	●	●	●	●		●	●	●							前	前	前
	10																前	前	前
グループB4	11	待機中									前	前	前	前	前	前	前	前	前
	12	待機中				●					前	前	前	前	前	前	前	前	前
	13	待機中												前	前	前	前	前	前
	14	待機中												前	前	前	前	前	前
	15	待機中				●											前	前	前
	23	待機中												前	前	前	前	前	前
グループB5	1	待機中			待機中												前	前	前
	2	待機中			待機中						前	前	前	前	前	前	前	前	前
	3	待機中			待機中												前	前	前
	4	待機中			待機中												前	前	前
	5	待機中			待機中						●						前	前	前
	16	待機中			待機中				●								前	前	前
	17	待機中			待機中												前	前	前
	22	待機中			待機中												前	前	前
グループB6	18	待機中			待機中			待機中									前	前	前
	19	待機中			待機中			待機中									前	前	前
	20	待機中			待機中			待機中			●								
	21	待機中			待機中			待機中			●	●							

【実験２：成虫になったときに，ラベンダーのにおいをさけるか】

　幼虫のときにラベンダーのにおいと電気ショックを同時に与えられた個体は，成虫になったときにラベンダーのにおいをさけるかどうか調べる。

　成虫をＹ字装置の入口に置いて，左右に（ラベンダー＋さとう水）と（さとう水）を置き，チョウが左右どちらへ行くか観察し記録する。

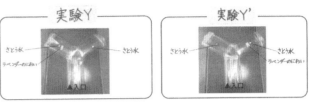

図２　実験２の方法

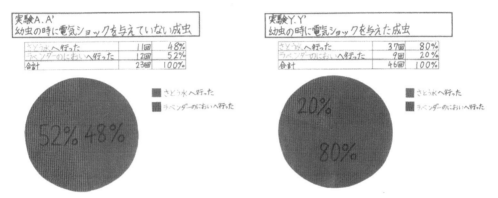

図３　実験２の結果

▼ 感想

　幼虫の時の記憶は成虫になっても残るという結果が出たため，ぼくのことを覚えてくれている可能性があることが分かった。不完全変態の昆虫や社会性のある昆虫は記憶できるということを本で読んだことがあったが，完全変態の昆虫であるアゲハでも幼虫の時の記憶が成虫になっても残るということはすごいと思った。蛹の中では大きな変化が起こっていて，液体になる部分と脳や神経など残る部分があることが知られているが，記憶も残るというのは驚いた。

　アゲハの大けんきゅう２（2021年の研究）で過齢幼虫について研究したので，通常の脱皮回数のアゲハと脱皮回数の多い過齢幼虫との記憶力を比べてみたいと思った。また，記憶はチョウになって何日続くのか，「ラベンダーのにおいをさける」行動は子に遺伝するのかなど，もっとたくさん調べたい。

参考文献

• Douglas J Blackiston, Elena Silva Casey and Martha R Weiss, *"Retention of memory through metamorphosis: can a moth remember what it learned as a caterpillar?,"* PLoS One. 2008 Mar 5;3(3):e1736. doi: 10.1371/journal.pone.0001736.

作品について

　たくさんのアゲハチョウを育ててきた経験から気付いたことを，探究のきっかけとしています。アゲハチョウについて，今まで研究してきて明らかになったことも使って考えながら，本研究の仮説を立て，文献なども基にして考えていく姿に一人の科学者の姿が見てとれました。

　今までも昆虫の記憶研究はいくつかあり，本研究についてはアメリカの大学での先行研究を参考にしています。ただ，小学生が同様の研究をしていこうとするところに驚きます。においの種類の選定では手に入れることが容易なものを見つけ，ショックの与え方では小学生でも安全に使えるものを使用しており，小学生でもこれだけの研究ができるのだ，という可能性の広がりを感じました。

　においの実験では自作のY字装置を用い，左右を入れ替えながら繰り返し調べていました。多くのデータを集めながら，より正しい結果や結論を出していこうとする熱意も伝わってきました。そこに至るまでの情報収集や試行錯誤にかけた時間も多大なものだったのではないでしょうか。

　はじめはどのように調べたらよいか分からなかった，と長井さんは振り返っていましたが，そこで専門家や昆虫館の学芸員に聞いたということが書かれていました。分からないことがあったとしても，目的を果たすためにたどり着こうとする行動をとる，時として人に頼りながら専門的知見も踏まえて実験計画を考える，それにより結果を出していくことができるということ，この姿勢は大変勉強になります。

　本研究は「アゲハの大研究3」です。「1」や「2」で今まで調べてきたことがあり，本研究で明らかになったこともある。そこから，今後，調べたいことが「感想」に書かれています。本研究だけでも，かけた労力は相当なものであったことと思います。調べて明らかになったからこそ，新たな不思議が生まれていく。あくなき探究の道の，まだ途中であるかのような締め括りに，これからの探究への期待が膨らみました。

いざ!!
シャボン玉の内側へ

―とう明なカベを越えて行け!!―

つちくら　あゆみ
土倉 歩美

［筑波大学附属小学校 5年生］

シャボン玉を作って遊ぶのは、私の小さい頃からのお風呂での習慣だった。

そしてある日、そのシャボン玉の中に自分の顔を入れることに成功した。顔が入るのなら、他にも色々なものが入るんじゃないか？　どんなものが入りやすく、どんなものが入りにくいのだろう？

こうして、私のお風呂場での長い挑戦が始まった。

I 研究の概要

◢ 研究の動機・目的

お風呂（ふろ）での石けんのあわを用いた研究遊びから，シャボン玉の中に自分の顔が入るのではないか？という不思議が生まれた。試行錯誤（しこうさくご）の末，それを可能にし，シャボン玉の内側からの景色に感動した後，いろいろな物をシャボン玉の中に入れてみようと考え，研究することとした。

◢ 実験方法

シャボン玉は実は丈夫（じょうぶ）なのではないかと考え，そこにいろいろな物を入れて，どんな物が入り，どんな物が入らないのかを調べることを目的とした。その際，次のような方法をとるとともに，合わせてルールも設定していった。

●実験の方法

①手にまんべんなく水をつける。

②アイスのスプーン1ぱい分（1.5 mL）のボディソープを手にとってあわ立て，手の甲までしっかりつける。

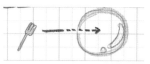

図1　実験のイメージ

③手でOKマークをつくり，そこでシャボン玉をつくる。

④できたシャボン玉の外側からシャボン玉のまくを通過させて，物を中に入れる。

●実験のルール

・同じ条件のシャボン玉になるように，ボディソープの量は毎回同じにする。

・水はたくさん必要なため，特にはからないで使っていいことにする。

・中に入れる物は，かわいた状態，ぬれた状態，石けん水をつけた状態の3種類の条件で入れる。

・1つの物を1つの条件で試して，3回ダメなら「入らない」とする。少しは入る，もしくは「おしい」というときは，何度でもチャレンジしていいこととする。

◢ 実験と結果

【実験1：身の回りにある物をシャボン玉に入れてみる】

表1　実験1の結果の一部

調べた物		かわいた状態	水	石けん水	写真・コメント	
ガラスコップ	予想	×	○	○		カップ類は，ガラスも紙もプラスチックも共通した特ちょうがあった。それは，内側に空間があり，その空間があることによって，シャボン玉の中に入れようとしておしかえされてしまうということだ。そのため，いちおう入ったが，全体を入れるのはむずかしかった。それから，シャボン玉の中で，カップの口にも，シャボン玉のまくがはっていた。
	結果	×	×			
紙コップ	予想	×	×	○		
	結果	×	○			
プラカップ	予想	×	×	○		
	結果	×	△			

予想では，丸くてつるつるしたものは入りやすいと思っていたが，なかなか入らず，逆に入りにくいと思っていたとがった物の方が入りやすかった。

【実験2：入るわけないと思うけど，入ったらすごいなと思う物を入れてみる】

表2　実験2の結果の一部

調べる物		かわいたまま	水	石けん水	写真・コメント	
ブラシ	予想	×	×	×		とかす部分は入ったけれど，全体を入れるのが，むずかしかった。
	結果	×	×	△		
たわし	予想	×	×	×		ブラシが入らなかったから，たわしは絶対に無理だと思ったけれど，石けん水をつけたら，とてもかんたんに入った！たわしの素材は，ヤシの実のせんいらしい。素材が関係していうのかな？
	結果	×	×	○		
ダンボール	予想	×	×	×		ダンボールを水にぬらした時，ハートの半分までは入ったが，その後を入れるのがむずかしかった。
	結果	×	△	○		

　自分が想像した以上に入る物が多かった。また，形が同じでも素材が違(ちが)うと入りやすさも違った。

【実験3：入らなかった物の形を変えて入れてみる】

表3　実験3の結果の一部

②紙皿		かわいたまま	水	石けん水	写真・コメント	
実験①	結果	×	×	×		シャボン玉はわれないが，入れようとすると，おしもどされてしまい，入らなかった。
実験③	結果	×	○	○		形を変えたら，すごくかんたんに入った！発ぽうスチロールよりもスルっと入った。

　実験1や2でとがった物が入りやすいということが分かったので，形を変えたところ，シャボン玉の中に入れることができた。シャボン玉の中に物を入れるには，形が重要な要素の一つであることが分かった。

▼ まとめ

　これまでの実験から，シャボン玉は，まくを通って内側に物を入れられるくらい丈夫であることが分かった。そして，予想とは違って，とがった物ほど入りやすかった。その上で，「なぜとがっている物ほど入りやすいのか」という新しい疑問が湧(わ)いてきた。シャボン玉の研究はまだまだ続く。

作品について

　「研究遊び」。研究のきっかけにあった言葉です。とても素晴らしい言葉だと感じました。この言葉は，お風呂場のシャボン玉で遊んでいる時に見つけた不思議を探究していく過程を表していましたが，研究のあるべき姿を端的に表していると思います。誰かから言われるわけでなく，自分が「探究したい」と思うものを見つけ，それに没頭する。その営みを「遊び」という言葉で表現されるように，どこか楽しさを感じながら行うことができる。自然の事物・現象にこのように向かう土倉さんの姿勢こそが，この素晴らしい研究の根底にあったのではないかと感じました。

　研究の中身についても，素晴らしい点がたくさんありました。まず何より注目すべきは，シャボン玉の実験についてデータをたくさんとっていることです。紙幅の関係で，全ての結果を提示することはできなかったのですが，シャボン玉の実験では，たくさんの物で自分の予想を確かめています。これだけたくさんのデータをとり，なおかつ，気づきも含めてそれをとても見やすくまとめていることは，研究したことを多くの人に分かってもらうためにとても大切な力です。たくさんの物で調べようとする根気，そしてそれを見やすくまとめる記録の力。いずれも高いレベルにあるといえるでしょう。

　そして，たくさんデータをとっていますが，その物選びの中に見える意図もまた，素晴らしかったです。最初は身の回りのいろいろなもので調べ，次は素材や形を変えながら調べ，最後には，これまでシャボン玉に入らなかったものをこれまでの知見を生かして，入るようにするという，一つの物語を読んでいるかのようなストーリーが見えました。たくさんのデータがぶつ切りになっているのではなく，つながりを持っているように感じられ，データの質の高さを感じます。

　最後に，シャボン玉に入れたデジタルカメラから撮った一枚に，今回の研究の成果や面白さが凝縮されているようにも感じました。自然科学の世界をこれからも楽しんでください。

　今後，この研究を発展させるのか，それとも他の「研究遊び」から新しい研究が広がっていくのか。それは土倉さんのみぞ知るところでしょう。これからも「研究遊び」を大切に，自分の知りたいことを探究してほしいです。

木漏れ日の謎！
すごいぞ！自然現象！

山本 凜
やまもと りん

[筑波大学附属小学校 5年生]

お寺の階段で見つけた丸い木漏れ日！ でも上を見上げてみると葉と葉の隙間は丸くない！ あれ、なんで？ と不思議に思い、木漏れ日の謎にせまりました。
8月の猛暑の中、太陽や雲と格闘しながら何日も実験を重ねたのはとても大変でしたが、自然のすごさを実感できました。皆さんも木漏れ日を見つけたら上を見上げてみてください！

Ⅰ 研究の概要

▱ 研究の動機・目的

鎌倉,長谷寺の階段を登っている時に「葉っぱからの木漏れ日」が丸いことを発見。上を見上げてみると葉の重なりは,丸ではなく三角形や台形など不規則な形をしていた。「あれ？なんで？」調べてみたくなった。

▱ 調べたことをもとに

木の葉と木の葉の小さなすき間を通って,太陽の丸い姿が地面に結像する。ピンホール現象というらしい。その証拠に,日食のときは木漏れ日も欠けているそうだ。ということは,やはり太陽の形が映っているということになる。でも本当だろうか。いろんな場所で観察をすると,木漏れ日は,結構身近にたくさんあり,丸じゃないものもある（図1）。

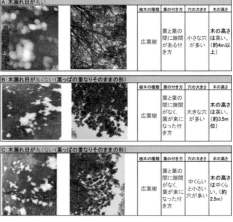

図1 様々な木漏れ日調べ

▱ 予想

図1によると,木漏れ日が丸になるためには,穴の大きさと高さが関係あるのかもしれない。穴が小さくて,木が高いと丸形になるのだろうか。木漏れ日が丸になるためには,何かきっと条件があるはず。

▼ 実験1の方法および結果

●実験を計画,器具の条件

　①できるだけ穴がたくさん開いている

　②丸,四角,不定形な穴が開いている

　③太陽が高くなる時刻に実験する

　④高さをいろいろ変えて実験する

●結果から次の実験へ

　500mmより上では,「太陽の形」も「丸の形」も映らなかった（図2）。

　穴の大きさが小さすぎたのだろうか。丸い木漏れ日ができていたのは,どのくらいの穴の大きさなのだろうか。穴の大きさを変えて再実験。

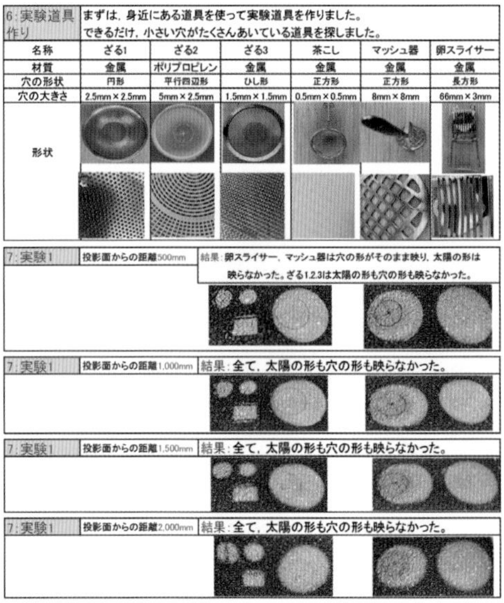

図2 高さを変えた実験の結果

実験2・3の方法

9種類の大きさの穴を用意。穴は丸や四角だけでなく，数字や動物等を準備した。

高さも 500 mm から 13,000 mm まで 15 種類の高さで実験を行った。

結果

穴が 45 mm 以下で高さが 3,500 mm 以下であれば円形ができた。しかし，穴が 60 mm 以上になると高さが 3,500 mm 以下では円形にはならず穴の形がそのまま映った。

考察から次の実験

この結果から，相関性が見えてきた。大きい穴はもっと投影面からの距離を高くしていけば円形になるはずである。

さらに投影面からの高さを 4,000 mm 〜 13,000 mm に伸ばして実験を行ったところ，円形が出来た。

結論

円形の木漏れ日ができる条件は，図4の点線で囲んだ斜めのラインである。

穴が小さいと投影面からの高さが低くても円形になり，穴が大きいと投影面からの高さが高くないと円形にならない。投影面から高くしていくと，映った像はどんどん大きくなり薄くぼやける。

まとめ

実験結果から，鎌倉の円形木漏れ日は，穴の大きさが 15 mm 〜 45 mm，投影面からの距離は，3,500 mm 〜 4,500 mm くらいだと思う。条件がそろうと，円形の木漏れ日はできる。

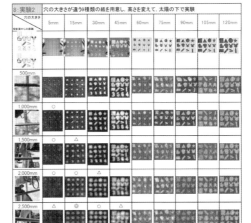

図3 穴の形や大きさを変えた実験の結果

	5mm	15mm	30mm	45mm	60mm	75mm
500mm						
1,000mm	○					
1,500mm	○	△				
2,000mm	○	○				
2,500mm	△	◎	○	△		
3,000mm		◎	◎	○		
3,500mm		◎	◎	○		
4,000mm		○	◎	○		
4,500mm			○	◎	△	
5,000mm				△	△	
6,000mm			△	△	○	△
7,000mm				△	○	○
8,000mm					○	○
11,000mm					△	○
13,000mm						

図4 実験結果のまとめ

作品について

　鎌倉で出会った丸い木漏れ日をきっかけに，様々な木漏れ日を観察し，木漏れ日の形はどのようにしたら丸くなるのかを，穴の形を変えたり，高さを変えたりして徹底的に調べた研究でした。実験器具を製作し，細かく高さを変えながら形の変化を観察し記録を行うという根気のいる取り組みを丁寧に行うことで，形と高さの相関関係を見つけ出すことができました。

　この作品の素晴らしいところはたくさんありますが，特筆すべきは実験を行うたびに結果とともに出てくる「○○だったら△△になるんじゃないか」という新たな予想。その予想を基に次の実験を計画するという探究の連続の素晴らしさです。はじめの実験で思ったような結果が得られなくても，その結果から次の実験の計画を立て直す，あくなき探究心の素晴らしさを感じました。

　実験の丁寧さや細やかな分析もさることながら，目の前の観察結果から疑問点をあげられるところが，この研究の深さにつながっています。納得がいくまで実験をし続ける，「あれ？おかしいな？」が「そうか，分かったぞ」となるまで調べ続けることは，とても大切なことです。

　前のページまでには載せられませんでしたが，木漏れ日の形の上下左右が全て逆さまになるピンホール現象についても，光源を部屋の明かりに変え実験を続けていました。

図5　ピンホール現象を調べる実験装置

　色のついたセロファンを貼り，厚紙に開ける穴の形や大きさを変え，高さを変えながらの実験を通して，上下左右が逆さまになることを証明することができました。この実験だけでなく全ての実験で厚紙や段ボールに穴を開けたり，光源にセロファンを貼ったり，試行錯誤しながら実験道具を一から作りあげたこと，激しい暑さのなか，その実験道具を利用して一つ一つの実験を地道に繰り返したことに敬意を表します。

　丸い木漏れ日が，できたか，できないかではなく，丸い木漏れ日ができる条件を見つけることができたのは，その努力を惜しまぬ姿勢があってこそです。ひたむきに，自然事象と向き合い，多くの実験を通して「すごい」という気持ちに辿り着くことができた，この経験をこれからも大切にしてください。

『葉耳（ようじ）』の役割について

～2年目の挑戦～

板垣 礼子
（いたがき れいこ）

［新潟大学附属長岡小学校 5年生］

「葉耳」のヒミツが知りたくて、今年もバケツ稲を育て、研究しました。

仮説や実験方法を考えている間もイネがどんどん成長してしまったこと、炎天下で蚊と戦いながら観察したことは、大変でしたが楽しかったです。

葉耳の役割はまだわかりませんが、実験3で手応えを感じたので、来年もこの研究を続けていきます。

Ⅰ 研究の概要

☑ 研究の動機・目的

バケツ稲(いね)づくりをしている中で，イネに白い輪と産毛(うぶげ)のような不思議なものがついているのを見つけた。調べてみると「葉耳(ようじ)」というものであることが分かった。この「葉耳」の役割を調べようと仮説を立てて検証していたが，これまでの研究でははっきりと分からなかった。そこで，今回こそはと，「葉耳」の役割を明らかにすることを目的とし，調べた。

図1 イネの葉耳

☑ 実験方法

バケツ稲5個でイネを種もみから育てながら，以下の予想や仮説のもと，実験を行っていった。

●「葉耳」の部分で水をためて，産毛で吸収しているかどうかを確かめる実験

「葉耳」の産毛に染色液(せんしょくえき)をつけて経過を観察し，顕微鏡(けんびきょう)で確認して，水を吸水しているかを調べた。

●「葉耳」が枝分かれの部分を守っているかどうかを確かめる実験

「葉耳」を除去したイネと除去しないイネを準備し，その成長について調べた。

●「葉耳」の水センサーの役割や呼吸との関係の有無を確かめる実験

「葉耳」が水につかるくらいの水深で育てる場合と通常の場合とを準備し，その育ちかたの違(ちが)いについて調べた。

☑ 実験と結果

【実験1：「葉耳」の部分で水をためて，産毛で吸収しているかどうかを確かめる】

実験の結果，「葉耳」についた染色液に変化はなく，イネに水をかけると，染色液がきれいに流れ落ちた。また，実体顕微鏡で染色液を付着させたところを確認すると，染色液をはじくような様子が見られ，吸水しているとはいえなかった。

図2 染色液をつけたイネの翌日の様子

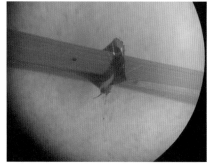

図3 実体顕微鏡で観察した染色液をつけたイネの様子

【実験2：「葉耳」が枝分かれの部分を守っているかどうかを確かめる】

これまでの観察から，「葉耳」が枝分かれの部分を守っているように感じたため，もしも「葉耳」に枝分かれの部分を守っているという役割があれば，「葉耳」を除去すれば，イネの成長が悪くなったり，途中(とちゅう)で折れたりすると考え，「葉耳」を除去したものとそうでないものを準備し，実験をした。その結果，成長に大きな違いは見られなかった。

図4　葉耳を除去したイネ　図5　葉耳を残したイネ
　　（72 cm）　　　　　　　　　（73 cm）

【実験3：「葉耳」の水センサーの役割や呼吸との関係の有無を確かめる】

「葉耳」に水を感じるセンサーのような役割があるのなら，「葉耳」を水没(すいぼつ)させることで，成長に違いがでるのではないかと考え，実験

図6　実験3の結果の様子　　　　図7　コブ状に変化した葉耳

を行った。結果は，イネの高さに違いが見られ，色も青々とした様子が観察された。また，水没させた「葉耳」の一部がコブ状に太くなっているのが観察された。これらのことから，「葉耳」が水センサーなのか，産毛で呼吸をしているのかははっきりとしないが，「葉耳」を水没させることで，イネの成長が良くなったということは明らかになった。

▼まとめ

これまでの研究を踏(ふ)まえて，「葉耳」の役割に関する予想に基(もと)づいて，実験1〜3を行った。実験1からは，予想のような「葉耳」に吸水作用はないと考えられる。また，実験2でも，予想のような「葉耳」に枝分かれの部分を守るという役割はないと考えられる。実験3からは，予想通り「葉耳」に呼吸や水センサーの役割があるとは言い切れないが，何らかの役割があり，それが成長に関係するということは言えるのではないかということが明らかになった。来年以降もバケツ稲で「葉耳とその産毛のヒミツ」を明らかにしていきたい。

作品について

　おそらく，この研究で「葉耳」という植物の部位を知った方もたくさんいらっしゃるのではないでしょうか。この一見すると，見過ごしてしまいがちな植物の部位に注目した数々の仮説や実験に，「葉耳」への情熱を感じるとともに，この部位を焦点化して植物について調べているという点において，独自性が極めて高い研究といえるでしょう。しかし，この研究の素晴らしい点は，それだけにとどまりません。次に紹介していきましょう。

　まずは，この実験での仮説に関する着眼点の鋭さです。理科の授業であれば，ある自然の事物・現象について，予想や仮説を発想し，表現する際には，既習事項や生活経験に基づいて考えます。これはその自然の事物・現象が既習事項や生活経験と似通っている部分があることから，それらが考えの拠り所，つまり根拠となり，予想や仮説を考え出すことにつながっています。ところが，この「葉耳」というのは，植物の部位の一つであり，その役割について仮説を考え出す際には，似たような既習事項や生活経験が少ない，もしくは全く無かったのではないでしょうか。それでも成長やセンサーといった事柄と関係付けて，仮説を発想できているところに，科学における創造力，想像力の高さを感じずにはいられませんでした。さらに言うなら，この研究はイネの成長とともに進んでいます。つまり，この研究にはタイムリミットが存在していたのです。その中で，鋭い仮説を発想することができるのは，長い時間「葉耳」と向き合ってきたからこそ可能になるのかなとも感じました。やはりこうしたところにも「葉耳」への情熱を感じます。

　そして，「葉耳」に対するあくなき探究心にも注目しましょう。多くの場合，実験3で成長に違いが出ていることから，仮説を検証できるだけのデータが揃ったと考え，例えば水のセンサーになっていると結論づけたくなります。ところが，この研究では，「まだはっきりとは分からない」としています。安易に結論を急ぐのではなく，より妥当な結論を求めて研究を重ねようとする姿が素晴らしいですね。

　結局，本研究では，役割を明確にすることはできませんでしたが，可能性は絞られたかと思います。今後の研究できっと明らかにしてくれるのではないかと期待しかありません。これからも「葉耳」への情熱とあくなき探究心を大切にがんばってください。

糞虫研究
ルリセンチコガネ

その生態とSDGs大作戦　第3報

矢野 心乃香
やのこのか

［大阪教育大学附属天王寺小学校 5年生］

私はルリセンチコガネの研究を三年間続けており、今回は彼らの巣穴での過ごし方を調査したり、飛ぶのが苦手な彼らに密着してたくさん写真を撮ることで、飛ぶ瞬間の羽の開閉について調べました。また、ペットのモルモットとルリセンチコガネが共生する環境を作り、SDGsを意識したペット飼育をする実験を通して、改めて奈良公園での糞虫の役割を確認することが出来ました。

I 研究の概要

研究の動機・目的

2年前から，奈良公園でルリセンチコガネの研究をしており，なぜ鹿の糞が溜まらないかなどを明らかにしてきた。本研究では，さらに疑問に思ったこと（ルリセンチコガネのお住まい，飛行能力，モルモットとの共存などについて）を調べることにした。

実験と結果と考察

【実験１：ルリセンチコガネのお住まい調査】

昨年の研究から，ルリセンチコガネは暗さや明るさに関係なく，食事ができる部屋であればどんな部屋でも好むことが分かった。そこで，早朝ではない午前中に，ノギスとマイクロスコープを用いて，どのような巣穴を好みどのように過ごしているのか，地面にあいた穴を計測し，のぞいて調べることにした。

表1　調査に共通すること

調査に共通すること	
場所	春日大社からささやきの小径に通じる道沿い
調査時間	午前10時～12時ごろ
場所の特徴	春日奥山原生林に近いため巨木が多い。杉をはじめとする雑木林。日が昇っても、殆ど日が差し込まず薄暗い。しっとり湿った落ち葉が大量にある。苔むした石や様々なキノコが見受けられる。
鹿の数	日中見かけることは少ないが、糞がたくさんある。
観光客の数	少ない

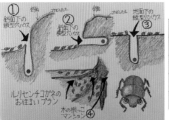

図1　ルリセンチコガネのお住まいプラン

表2　ルリセンチコガネの入居率

ルリセンチコガネの入居率調べ					
お住まいプラン番号	①	②	③	④	計
穴発見数（軒）	1	4	11	18	35
入居数（軒）	0	1	2	13	16
入居率（入居数÷穴発見数）	0％	25％	18％	68％	46％

早朝を調査した昨年，一昨年では，活発に落ち葉の上の糞を運んでいる様子を確認できたが，10時～12時の時間帯では，巣穴への入居率は46％であった。70％近くのルリセンチコガネは，木の根の下を利用した巣穴を好んでいた。どの穴も共通して周辺に落ち葉がたくさんあり，直射日光が当たらないところ，周囲に鹿の糞がたくさんあるところに作られていた。巣穴の入口には侵入者を防ぐ工夫がしてあった。

【実験２：モルモットとルリセンチコガネの SDGs 大作戦】

モルモットは毎日たくさんの牧草を食べ，糞をする。その糞を掃除し，ゴミとして廃棄処分する。そこで，モルモットとルリセンチコガネが共存できたなら，環境に配慮したサステナブルな生活ができると考え，14日間の実験計画を立てた。10匹のルリセンチコガネで，モルモットが食べる牧草を育てる肥料製造の実験をする。

① 鹿の糞とモルモットの糞を比較する。

② ルリセンチコガネの巣穴にモルモットの糞を置き，観察する。

③ ①②の結果より，以下を計画し，実験した。

実 験 作 業 工 程 表														
日数(日目)	1	2	3	4	5	6	7	8	9	10	11	12	13	14
日付	7/28	7/29	7/30	7/31	8/1	8/2	8/3	8/4	8/5	8/6	8/7	8/8	8/9	8/10
モルモット	⇐			糞	製	造	期	間				⇒		食べる
ルリセンチ	⇐ 共 同 生 活 実 験 期 間 ⇒							★						
肥料	⇐		肥 料 製 造 期 間					取出						
えん麦	⇐			エ ン 麦 育 成 期 間								⇒		収穫

★ ルリセンチコガネは共同生活実験期間の後，奈良公園に返しました。

→ 取り出した肥料をエン麦に与える

図2　SDGs大作戦の計画

ルリセンチコガネは鹿と食性の類似しているモルモットの糞を，全て落ち葉の下へ運び，好んで食べた。ルリセンチコガネが食べて分解した糞は，かなり細かい粉となっており，においがほとんどなかった。その粉は肥料となり，モルモットが食べるエン麦を育てた。エン麦は14日で収穫し，モルモットに与えることができた。この実験から，奈良公園にある鹿の糞はルリセンチコガネによって運ばれ，分解されることで掃除され，それが肥料となって鹿が食べる奈良公園の芝生を育てているのだということが分かった。

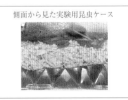

側面から見た実験用昆虫ケース

⇐SDGsハウスの詳細写真
① 私のモルモットは食事をしている時に，排泄をする習性がある。そこで食事場所の下に，尿は通過し，糞だけがルリセンチのもとに転がり落ちるように考えて糞を集める傾斜をつけた。
② ルリセンチコガネが分解した糞の粉末が落ちるよう考えたジャバラ折の厚紙と鉢底ネットを組み合わせた実験用昆虫ケース。
③ ②の上にウッドチップを敷き詰めた状態。
④ ③の上に奈良公園から持ち帰った落ち葉を入れた状態。

図3　SDGsハウスの詳細写真

作品について

　矢野さんはルリセンチコガネ研究 3 年目で，今までの研究で分かってきたことから，さらなる疑問をもって本研究に向かっています。今回は，ルリセンチコガネに着目した巣穴の研究や飛行能力の研究以外に，家で飼い始めたモルモットとの共存という発想を入れています。

　本来であればすべての研究（ルリセンチコガネのお住まい，飛行能力，モルモットとの共存など）について記載（きさい）したかったのですが，紙面の関係により飛行能力の実験については割愛（かつあい）しています。

　飛行能力の研究について，簡単に紹介（しょうかい）します。この研究では，ルリセンチコガネが瞬時（しゅんじ）に羽を広げることができないことや，高さ 18 cm のケースを超（こ）えることは，56 匹中半数が苦手であることを明らかにしています。そもそも長距離（ちょうきょり）移動をしなくても食べ物が手に入り，低空飛行が得意である方が鹿の糞を効率よく探すことに適しているのではないか，と考察していました。調べて終わりにせずに，調べて分かったことをルリセンチコガネの生活に返す視点には感心します。

　ルリセンチコガネとモルモットの共存では，鹿とモルモットの食性が似ていることを見つけ，糞も似るのではないかと必要なデータを見つけながら分析（ぶんせき）しているところに信頼性（しんらいせい）がありました。

　SDGs 大作戦では，ルリセンチコガネの生態を理解していることを生かして，計画を綿密に立て 14 日間と想定し，SDGs ハウスを作り，はじめに想定した循環（じゅんかん）を実現することができていました。モルモットとルリセンチコガネの生活スペースは分けながらも，モルモットの糞がルリセンチコガネに届く仕組みとなっていました。エンジニアリングも取り入れながら実現していく本研究は，STEM という視点でも価値のあるものとなっています。

科学の力で解き明かす！
古代みそのなぞ

さ とう みちひろ　　　　　　さ とう　とも み
佐藤 迪洋／佐藤 知海

［磐田市立磐田西小学校 6年生／4年生］

麹の原料に使ったのは「雑草」。決まった場所に生え
ておらず、収穫時期はバラバラ、量も少しずつしか
採れないので、集めるだけでも3年かかった。また、
農薬や除草剤をまかれて全滅したり、河川工事で埋
め立てられたりの繰り返しだった。古代からずっと人
間を支えてくれたのは栽培種ではなく野生種。地球
の大切な仲間として雑草を大切にしてほしいと実感
した研究だった。

I 研究の概要

研究の動機・目的

　日本各地で開催される「縄文みそ」「どんぐりみそ」などの講座では, どんぐり (パウダー) に白米麹を混ぜて作っている。しかし, 「精米技術の無かった縄文時代に, 白米麹は使えなかったのでは？」という疑問をもった。白米がなければ, なにで麹を作っていたのだろう？玄米だろうか？本当に縄文みそはあったのだろうか？

　考古学的には証明できていない「縄文みそ」の存在を科学の面から検証し, あいまいなままでいる日本の歴史を解き明かすことにした。

実験と結果

　使用する材料は全て採集する, または栽培することにした。

【どんぐり採集】

　縄文時代の貯蔵穴から見つかっているどんぐりの中でも手に入れやすいマテバシイを使うことにした。管理元にお願いして吉野ヶ里歴史公園などで落ちているどんぐりを採集した。

図1　どんぐりを採集する

【塩づくり】

　竜洋海岸の海水を天日干しして塩の結晶を作った。今回, 7ヶ月もかかったが, 塩を輸入しているオーストラリアやメキシコでは, 1～2年かけてじっくり天日干しをするという。塩づくりに7ヶ月もかかったという実感があったが, これはまだ早い方だったのかもしれない。

【麹菌づくり】

　麹菌の最適な環境を, 複数のみそ屋さん, 酒屋さん, 醤油屋さんに確認し, 米ぬかと水の割合を変えて実験する。8日目にコウジカビらしきものを発見したので, 「友麹法」で培養する。別のカビが生えて失敗の連続になるが, 8回目の挑戦でやっとコウジカビだけ増やすことに成功した。カビ毒検査をすれば使用できることになる。しかし, 大学の先生からこの検査をするのは小学生にはとても難しいので, 買った麹で実験をするようにアドバイスを受けた。とても残念だが, 安全を考え, アドバイス通りにすることにした。

図2　コウジカビらしきものを発見!!

【みそづくり】

　日本各地の遺跡を見学し，出土物から原料を推測し，実験に使うことにした。全部で14種類の麹を作ってみることにする。

①古代雑穀の栽培と採集　赤米は栽培し，他の雑穀は田畑，河原等で採集した。

②脱穀　古代の人と同じように石で割ったが，実が潰れてしまったり，細かすぎて飛んでしまったり，殻が指に刺さったりして，雑穀を食べることの難しさを実感した。

③蒸す

④コウジカビを接種する　種を守るために，雑穀の外皮は頑丈だし，抗菌作用もある。5日経っても繁殖しないので追加接種をするが，一週間経っても繁殖しない。外皮や薄皮を取り除いて再実験すると，どの雑穀にもコウジカビは繁殖した。

玄米	赤米	エノコログサ	ヤハズエンドウ	カラスムギ	ジュズダマ	マテバシイ
イヌビエ	クリ	ギンナン	ヤブツルアズキ	ツルマメ	クルミ	ムカゴ

図3　麹菌を接種した1週間後の雑穀

⑤みそを仕込む　できた雑穀麹とどんぐりを合わせ，みそを仕込む。できたみその，口当たり，のど越し，風味，味は雑穀の種類により全く違っていた。

【塩分濃度】

　市販のみそは15％前後の塩分濃度だが，自然にコウジカビが繁殖できる濃度は約6％だった。

【縄文時代のみそを作る】

　どんぐりをゆで，雑穀を蒸し，塩6％を加え塩蔵する。

　コウジカビを繁殖させ，そのまま発酵熟成する。現代

図4　縄文の人たちが愛したと思われる古代雑穀みそ

のみそは塩分濃度が15％前後のため，6％では雑菌を防げないのではないかと心配していた。しかし，むしろ活性化した麹菌の効果で，雑菌を防げることが分かった。

作品について

もみ殻を外す

米ぬかと水で培地を作る

雑穀を採集する

　縄文時代からあったとされる「どんぐりみそ」ですが，20件にも及ぶ調査をしても，その存在を確認できませんでした。そして，精米技術がなかったはずの縄文時代のみそを，白米麹を使って作っていることにも疑問を感じ，探究を始めました。まず，この視点の持ち方に感心させられました。縄文時代の「どんぐりみそ」をみつけることができないのであれば，それが可能なのか科学的に証明しようという視点にも感心させられました。そういう行動ができる子が増えてほしいと思います。

　さらに，縄文の人たちが作っていたものに極力近づけるために，一つ一つの工程を原始的な方法で地道に検証して，縄文の人たちが愛した（と思われる）古代雑穀みそを作り上げました。大学の先生のアドバイスで，安全に配慮して市販の麹菌を使うことにした以外は，全ての材料を自分たちで栽培したり，採集したりしています。その麹菌にしても，安全性を確かめることができなかっただけで，実現の可能性は見つけ出しています。そのため，塩を作るのに7ヶ月かけたり，細かくて大変な脱穀の作業を地道に進めたりと相当な困難があったと思われます。麹にする米や赤米を栽培するところから行う徹底ぶりには驚かされましたが，それをきょうだい二人で，それもその困難を楽しみながら乗り越える様子が伝わり，この研究の魅力を引き立てています。

　実物が見つかっていない縄文時代の「どんぐりみそ」が，実際に存在したのかという問題に対して，その存在が可能であることを科学的に証明することができました。佐藤さんの頭の中では，縄文時代の人々と一緒に「どんぐりみそ」を作る姿がイメージされていたのではないでしょうか。

　冷蔵庫もレトルト技術もない時代に，今回探究した発酵技術が，古代の人々の食や生活を支えていたのではないかと佐藤さんは思ったそうです。

　この研究は，歴史を変えるほどの貴重な成果を出しているのかもしれません。

チーズ好きが挑む!! 完全植物性のチーズ作り

なかもと こうたろう
中元 晃太朗

[熊本大学教育学部附属小学校 6年生]

大好きなチーズを完全植物性の材料のみで作ること
に挑戦しました。苦労した所は動物性材料の代替と
なる植物性材料探しです。豆乳はすぐに見つけること
ができましたが、豆乳のたんぱく質を凝固させる代替
をどう作るのか？ 植物から乳酸菌や天然酵母の抽出
をし、豆乳が固まる分量や温度の調整を試行錯誤し
ました。

Ⅰ　研究の概要

🗹 研究の動機・目的

　僕はチーズが大好きだ。しかし，チーズの主原料である牛乳を作る過程で，地球の環境問題を進行させていることが分かった。そこで，牛乳以外の主原料でチーズを作れないかと考え，「完全植物性のおいしいチーズ」作りを通して，持続可能なチーズのあり方を探ることをこの研究の目的とした。

🗹 実験方法

　まずはチーズの基本的な作り方を調べた。その結果チーズは，牛やヤギなどの乳を乳酸菌や酵素を加えて固めた物であることが分かった。そこで，これらの原料を植物性由来のものに置きかえることで，環境にやさしいチーズができると考え，様々な原料を試しながら，実験を行った。

🝰 実験と結果

【実験１：植物性乳酸菌の抽出】

　乳酸菌を多くふくむ食品には，納豆やザワークラウト（キャベツを塩漬けして発酵させたもの）などの発酵食品があるが，調べてみると，玄米から乳酸菌を抽出する方法があった。そこで，玄米を発酵させることと，ザワークラウトを作ることで，２種類の自家製乳酸菌を作った。

図１　玄米乳酸菌（左）と
　　　ザワークラウト（右）

【実験２：手作り乳酸菌で完全植物性チーズができるか】

　実験１で作成した乳酸菌と，牛乳などの代わりとなる市販の無調整豆乳を用いて，チーズ作りを行った。発酵時間や温度を一定に保つために，ヨーグルトメーカーを使った後，遠心分離して水分を切って固まり具合を調べた。

表１　実験２の結果

原料	固形度	発酵時間	におい	味
玄米乳酸菌チーズ	○	12時間	何ともいえないにおい	×
ザワークラウトチーズ	△	12時間	キャベツのにおい	△

　結果から，完全植物性のチーズは作れたといえる。しかし，味やにおいは，納得できるものではなかった。味やにおいをより高めるために，糀や酵母に注目してチーズを作ることにした。

図２　実験２で完成したチーズ

【実験３：米糀と手作り甘酒で完全植物性チーズができるのか】

日本食には欠かすことのできない糀に注目し，今回は米糀と甘酒を乳酸菌の代わりとしてチーズ作りを行った。

表２　実験３の結果

原料	固形度	発酵時間	におい	味
米糀チーズ	○	12時間	特になし	◎
甘酒チーズ	○	12時間	特になし	◎

結果から，米糀チーズは，特ににおいはなくおいしくできたが，豆乳に米糀を混ぜ入れただけなので，瓶のそこに糀のつぶが残ってしまった。甘酒チーズは特ににおいはなく，味は濃厚でおいしかった。

図３　豆乳と糀でチーズを作る様子

【実験４：天然酵母の抽出】

いちご，りんご，パイナップル，レモンを小さく切り，少量の砂糖と水を加え，瓶に密閉して１週間発酵させ，４種類の天然酵母を抽出した。

【実験５：自家製天然酵母で完全植物性チーズができるのか】

実験４で得られた天然酵母を用いて，チーズができるかをたしかめた。

表３　実験５の結果

原料	固形度	発酵時間	におい	味
レモン酵母チーズ	◎	12時間	さわやかないいにおい	◎
いちご酵母チーズ	◎	12時間	いちごの甘いにおい	◎
パイン酵母チーズ	△	12時間	ほのかにパインのにおい	○
りんご酵母チーズ	×	12時間	ほのかにりんごのにおい	○

レモン，いちごは，しっかり固まったが，りんごは発酵後，分離して固まっているように見えたが，遠心分離して水分をとり，器にうつすと，さらさらの液状になった。パイナップル酵母のチーズは，クリーム状になった。

【実験６：自家製天然酵母で完全植物性チーズができるのかの追加実験】

実験５で固まらなかったパイン酵母チーズと，りんご酵母チーズに酢を加えてみると，固めることができた。ただ，においは酢のにおいだった。

▼ まとめ

今回の研究では，持続可能なチーズの可能性に挑んだ。その結果，豆乳と糀や酵母でおいしいチーズが作れることが明らかになった。このような成果は，牛乳を食すことができない方にとっても，新たな食の楽しみにつながるのかもしれない。

作品について

　この研究は「単にチーズが好きだからチーズについて研究した」というもので
はなく，チーズが好きだということに加えて，牛が放出するメタンガスなどの環
境への影響（えいきょう）に注目し，SDGs の観点から研究に取り組んでいます。このような
時流に乗った研究をしていることに意義深さと研究の独創性が見られます。自分
の研究のテーマが社会とどのようにつながるのか。研究の際に，ちょっと立ち止
まって考えてみると，科学と社会のつながりが見えてきます。科学と社会のつな
がりが見えると，自分の研究がどう役に立つのかといったことが見えてきます。
つまり，自分の研究の成果が，誰（だれ）かの役に立つ可能性が見えてくるのです。作品
の最後に，乳製品にアレルギーがある人へのメッセージがあることから，この研
究が大変分かりやすいお手本になってくれています。もちろん，時流に乗ってい
るというだけでなく，優れた点も多く見られます。次に紹介（しょうかい）していきましょう。

　まずは，実験 2 の結果が出た後に注目しましょう。完全植物性のチーズを作
るという研究の本来の目的は，ここで達成されています。しかし，味やにおいに
納得がいかないと感じ，ここから色々な試行錯誤（しこうさくご）をしているところに，探究力の
高さがうかがえます。もしかすると，本当の研究は実験 2 の後からだったのか
もしれません。ここから糀や酵母に注目し，試行錯誤する過程でおいしいチーズ
ができたということは，その行為（こうい）が無駄（むだ）ではなかったこと，そして，試行錯誤を
すれば，得るものが必ずあるということを実感することにつながったのではない
でしょうか。

　また，実験 6 では，その前の実験で固まらなかったパイナップルやりんごの
酵母のチーズを固まらせることにも挑戦（ちょうせん）しています。4 種類の酵母のうち，2
種類ができたというだけで終わらず，固まらなかった 2 種類に注目して，再度
実験を重ねているところにも，探究力の高さがうかがえます。

　「予想通りいかなかった」，「意図していたようにできなかった」といったことは，
ともすると「失敗」という言葉で片付けられるのかもしれません。けれども，こ
の研究全体を見てみると，そのような状況（じょうきょう）をむしろ出発点とし，研究を重ねて
いる姿が浮（う）かび上がってきます。今後，チーズの研究を継続（けいぞく）するにしても，新た
な研究テーマに取り組むにしても，いずれにせよ，このような姿は，科学と向き
合う姿勢として，ずっと大切にしていってほしいです。

2023

どういうスプーンだったら、ヨーグルトカップがたおれないか？

駒井 杏
[筑波大学附属小学校 3年生]

第18回
小学生の部

「もぉ、また、たおれてるよ。ふいといてね。」これは、私の母が毎朝、私に言う言葉です。ヨーグルトを食べたあと、スプーンがいつもたおれてしまうのを見て、どういうスプーンだったらたおれないかを調べようと思いました。研究を通して、どんなカップでもたおれないスプーンができあがりました。これからも、母がこまっていることを助けるような研究がしたいです。

Ⅰ 研究の概要

研究の動機・目的

毎朝，ヨーグルトを食べるが，食べ終わったあと，スプーンを入れたままヨーグルトカップがたおれてしまうこと（図1）が多く，机がよごれてしまう。だから，どういうスプーンだったらたおれないかを研究した。

図1　たおれたスプーン

実験方法

どんなスプーンでもヨーグルトのカップごとたおれると予想をし，家にあるいろいろなスプーンで実験をした（図2）。なお，その際には，ヨーグルトのカップはいつも家で食べているものを使用し，それぞれのスプーンに対して，10回ずつ試行した。

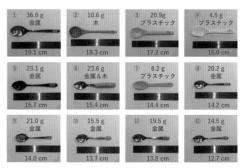

図2　実験で使用したスプーン

実験の結果と考察

【実験1：空のヨーグルトカップにいろいろなスプーンを置く実験】

実験をすると，表1のような結果になった。

これらの結果から，重いスプーンがたおれ，軽いスプーンがたおれなかった。また，長くて軽いスプーン（②，④）はたおれず，短くても重いスプーン（⑧，⑨，⑩）はたおれることから，スプーンがたおれるのは，長さと重さのバランスが関係しているのではないかと考えた。重たいスプーンがたおれないようにするためには，どうすればよいかを考え，ふだんの生活経験から，スプーンの先を重くすれば，たおれにくくなるのではないかと考え，さらに実験を行うことにした。

表1　実験1の結果

【実験2：重たいスプーンの先にねん土をつけてたおれるかを調べる実験】

重たい金ぞくのスプーンでもたおれないようにするために，スプーンの先にねん土をつけて，カップがたおれないギリギリのねん土の重さを記録した。

実験の結果は, 図3のようになった。これらの結果から, 近い重さで近い長さのスプーン同士（⑤, ⑥）は, たおれないために必要なねん土の量も近く, 重さは似ているが, 長さがちがうスプーン（③, ⑧）であれば, 必要なねん土の量もだいぶちがうことが分かった。これらの関係は, シーソーと同じではないかと考えた。つまり, 図4のように, スプーンの持ち手が長いほど, スプーンの持ち手側にたおれようとする。そのため,

図3　実験2の結果

図4　スプーンに見られるシーソーの関係

ヨーグルトカップがたおれないようにするためには, その分, スプーンの先を重くしなければならない。いついかなる時でもたおれないスプーンをつくるためには, スプーンの先はとても重く, 持ち手の部分をとても軽くすることが必要であると明らかになった。

▼ 研究のまとめ

・持ち手の長いスプーンは, 持ち手側が重たいので, 持ち手側にたおれやすい。

・食べやすく, いついかなるときでもヨーグルトカップがたおれないスプーンは, 持ち手の部分がとても軽く, スプーンの先がとても重たいスプーンである。

図5　いついかなる時にもたおれないスプーン

▼ さらに研究したこと

研究したことを応用し, いついかなる時にもヨーグルトカップがたおれないスプーンを作った（図5）。実験1で一番重たかったスプーンの先を金属のこぎりで切り, 竹のはしを持ちやすい長さに切り取り, これらを接着剤でとめた。すると, あらゆるカップでたおれないスプーンが完成した（図6）。

図6　あらゆる容器でいついかなる時にもたおれないスプーン

作品について

　「科学」と「技術」には違いがあります。この研究は，「科学」と「技術」の違いがはっきりしており，とても分かりやすい研究でした。この研究の素晴らしさを，「科学」と「技術」という視点で紹介していきましょう。

　まずは，「科学」の視点についてです。「科学」とは，簡単にいえば，自然などに対し，予想や仮説をたてながら，観察や実験を通してせまり，ある一定の理論や法則（きまり）を見つけ出し，説明するための方法を指します。この研究では，スプーンが倒れるときはどんなときなのかを，「科学」的に証明しています。その中で，普段から食べているという理由で，カップを決めて，スプーンの種類という条件を変えながら実験をしています。こうして，日常に見られる風景から，変える条件と変えない条件とをはっきりさせて調べることは，「科学」的に調べるためにとても大切なことです。さらに，それぞれのスプーンについて 10 回もの試行を行い，倒れる場合と倒れない場合とがはっきりと分かる実験になっています。そして，その結果から，シーソーの仕組みと似ていることに気づき，スプーンの先に粘土をつけて調べるときにも，「ギリギリ」の粘土の重さを調べています。「ギリギリ」と言葉で書けば一言ですが，実際に実験をするときには，慎重に進めることが求められ，実験の精度にもこだわっていることがよく分かります。これらの追究を通じて，シーソーのような仕組みになっていることを「科学」的に証明しているところがこの研究の素晴らしいところの一つといえるでしょう。

　次に，「技術」の視点についてです。「技術」とは，簡単にいえば，理論などを実際に適用することを指します。この研究でいえば，「いついかなる時にもたおれないスプーン」をつくる場面が「技術」に関する部分です。「科学」的に明らかにすることにとどまらず，そこで明らかにした知見に基づいて，実際にスプーンづくりまでをすることで，「科学」的に証明したことが正しいだけでなく，役に立つということまで明確になっています。

　研究の中で，「いついかなる時にもたおれないスプーン」をつくる場面は，「おまけの研究」として紹介されていますが，「おまけ」というよりはむしろ，このスプーンづくりが，これまでの「科学」的な追究を価値あるものに高めたといえるでしょう。「科学」と「技術」が非常にうまく融合した素晴らしい研究でした。

カルピス®を 楽にしっかり混ぜるには?

（の　だ　りく）
野田 陸

［洛南高等学校附属小学校 3年生］

カルピス®やココア、紅茶と砂糖やシロップなど、均一に混ぜるのは難しいと思っていました。今回、カルピス®の混ぜる順番や道具を変えることで、かなり差が出て驚きました。それを写真で伝えるのに砕いた米粒を使い、上手くいった時は嬉しかったです。実験を通して、何となくしている行動も少し手順を変えるだけで変わることを学べました。

Ⅰ 研究の概要

研究の動機・目的

　「混ぜる」ということに興味をもっており，世の中のあらゆるものも，いろいろ混ざった結果と考えると不思議でおもしろい。家では，母がカルピス®(アサヒ飲料株式会社)を作ってくれるが，実は十分に混ざっていないことも多い。そこで，最初から大ざっぱに混ぜても，十分に混ざるようにするためには，どうすればよいかを考えた。

実験方法

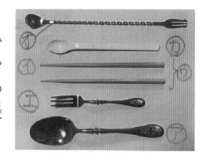
図1　実験に使用したもの

　カルピス®の混ざり具合を調べるために，いろいろなカルピス®の中から，色の変化が一番分かりやすい完熟巨峰味を用いた。また，水より牛乳割りの方が混ざり具合が見えやすいので，牛乳割りで比較した。

　混ざり具合を調べるために，次の条件で調べた。

実験1：混ぜるものを変える（図1）。

実験2：牛乳とカルピス完熟巨峰®を入れる順番を変える。

実験と結果

【実験1：混ぜるものを変えて調べる】

　まずは，水に細かく砕いた米粒を入れて，図1の6通りの道具で混ざる勢いを確認した。

㋐大きいスプーンは，米粒を混ぜる勢いは強いがコップの中で動ける範囲は小さい。

㋑おはし1本では，底を混ぜる力が弱く，米粒の動きは，スプーンよりも鈍かった。

㋒おはし2本でも，おはし1本と大きく変わらなかった。

㋓フォークもおはしと大きく変わらなかった。

㋔バースプーンは，ねじれのある柄の部分で勢いが増しているように見えた。

㋕細いスプーンは，㋐の大きなスプーンよりは底にしずんだ米粒を混ぜる勢いはやや弱かったものの，おはし1本よりは十分に混ぜることができていた。

図2　実験の様子（左から，㋐，㋑，㋒，㋓，㋔，㋕）

底の方だけなら, ㋐の大きいスプーンが一番よく混ざっていたが, コップの中で動かしやすく, 柄にもある程度の太さがある㋕の細いスプーンが一番よく混ざっていた。

【実験2：牛乳とカルピス完熟巨峰㊂を入れる順番を変えて調べる】

カルピス完熟巨峰㊂の濃さは, カルピス完熟巨峰㊂と牛乳が3：7の割合になるようにし, それぞれ30 mL, 70 mL を混ぜる実験をした。この濃さは, 漫画『宇宙兄弟 5』（小山宙哉, 講談社）ですすめられていたものを使用した。そして,

図3　実験2の結果

A　カルピス完熟巨峰㊂を先に入れる場合

B　牛乳を先に入れる場合

として混ぜてみて, 実験1で一番よく混ぜることができた㋕の細いスプーンを使って10回かき混ぜてみると, Aは, ほぼ色が均一になった。Bの方は, 底はカルピス完熟巨峰㊂の原液の 紫 色に近く, 上の方は白いままであった。

▼ 考察

・カルピス㊂の原液は, 粘度が高いので, 母は, 牛乳を注いだときに, 飛びはねて汚れるのをさけるために, 普段カルピス㊂を後から入れるようにしていたようであった。

・ところが, 粘度の高いカルピス㊂は, 牛乳を注ぐ勢いで一時的に上に上がっても, 牛乳の下にいこうとするので, 注ぐだけでも混ざる現象が起こることが確認できた。カルピス㊂を先に入れる方がかなり有利だと分かった。

▼ 感想

父と僕は, 均一に混ぜた方が良いと思っていたが, 母と妹は飲んでいるうちに濃くなってきたら, 最後の方がおいしくなって, 得した気分になるらしく, ひとそれぞれ好みがちがって, 実は均一に混ざることが最善ではないようだ。父は, 僕が大きくなったときに, 久しぶりに雑に混ざったカルピス㊂を飲んだら, 母が作ってくれたことを思い出すかもしれないよと言っていた。

カルピス㊂のボトルには, どちらが先に入れるかなど, 詳しい手順は書かれておらず, 各家庭のやり方があるのかもしれないと思った。しかし, 今回の研究で明らかな差が確認できたので, これから我が家はカルピス㊂を先に入れることに変わりそうだ。

実験1で混ぜる勢いを確認する際, 初めは米粒そのものを使ったが, 米粒の重さがあるために, なかなか混ざらなかった。そこで, フードプロセッサーで砕いてもらうことを思いつき, 細かい米粒なら混ざる様子がうまく観察できたときは嬉しかった。

作品について

　「科学の芽」賞では，審査の観点の一つに，「テーマの独創性」という項目があります。これは，どれだけ独創的な問題を見つけだしているかということを審査の対象にしています。この研究は，「テーマの独創性」という点において，とても優れた研究でした。

　では，どうしてこのような独創的なテーマを見つけ出すことができたのでしょうか。それは，研究の動機のところにあるように，「混ぜる」ことへの興味があったからだと考えます。もし他の人が同じようにカルピス®を作ったとしても，同じようなテーマを見つけ出すことができたでしょうか。きっと難しかったのではないかと思います。この研究は，興味があることや，好きなことをするときというのは，他の人とはちがった見え方をして，独創的なテーマが見つかりやすいということを多くの人に教えてくれるものだったといえるでしょう。

　さて，この研究は，このような独創的なテーマを見つけ出すことができただけではありません。その後の研究にも素晴らしいところがありました。まずは，実験の方法として，米粒を砕いたものをつかって，「混ぜる」ことを分かりやすく観察しているところです。研究が独創的なものであるほど，誰も調べたことがないことを調べることになるため，観察や実験で，調べたときの変化を分かりやすくすることはとても難しくなります。この研究では，米を砕くという工夫に気付くことで，「混ぜる」ということを詳しく調べることができました。この発想は大変素晴らしいです。

　そして，実験結果をつぶさに記録したことで，混ぜるということについてよく考えているところも素晴らしいです。実験の結果，最も混ぜやすい道具や，混ざりやすいカルピス®と牛乳の入れ方について結論を出しています。さらに，それだけにとどまらず，実験中の家族の様子で，カルピス®の混ざり方が均一であることが良いという考えから，均一でない場合の良さについて言及しており，混ざり方のいわば多様性にふれているところが大変面白い研究でした。

　多くの人にとって，「混ぜる」というのはおそらく何気ない日常の行為の一つにすぎないと思います。そのことに興味をもち，ここまで深い追究ができたことがとても素晴らしい研究でした。

物の色はなぜ見えるのか?

（き どう すみれ）
貴堂 菫

［筑波大学附属小学校 4年生］

物の色が見えるには何が必要か、物・光・物の周りの
色などが物の色の見え方にどのような違いを生むか、
様々な条件で調べました。
物の色の見え方の違いを点数・グラフ化し、異なる点
が分かるように工夫しました。
実験3の結果から新たな自分の疑問が生まれ、その
疑問から更に自分の疑問が生まれました。「?」をつな
げることで結果を導きました。

Ⅰ 研究の概要

◪ 研究の動機・目的

　6月の図工の授業で「すける光たんけん」をした。「光がすけていていいな，きれいだなと感じる場所や物」を紹介し合った。そこでなぜ物の色が見えて色々な見え方をするのか調べたいと思った。また，7月の防災訓練でも真っ暗の中見えた避難口誘導標識を見て，緑と白の標識は，緑色の光の下では白っぽく見えたことから，色が見えるには何が必要か，周りの環境で物の色の見え方が変わるのか知りたいと思った。

ⓨ 実験方法と結果

【実験1：光の量によって物の色の見え方に違いがあるかを調べる】

①光の量を調節できる四角い穴（10cm，5cm，1cm）を開けた箱を準備（内側に白い画用紙を貼る）。

②紙粘土で8色の同じ形の物（色船号）を作り箱の中に入れる。

③2階南向きの窓の近くに置く。同じ場所で実験できるよう置く位置に印をつける。

図1　実験準備の様子

④晴れの日の午前11時から午後1時に太陽光を当てて調べる。

〈結果〉

　実験1で分かったことを数字にしてグラフに表す（図2・3）。

　物（色船号）の色の見え方が黒く見えるほど数字を大きくする。

　黒に見える＝4点　暗いまたは濃い別の色に見える＝3点　暗いまたは濃いが元の色が見える＝2点　その色がはっきり見える＝1点

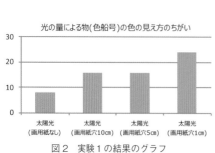

光の量による物(色船号)の色の見え方のちがい

図2　実験1の結果のグラフ

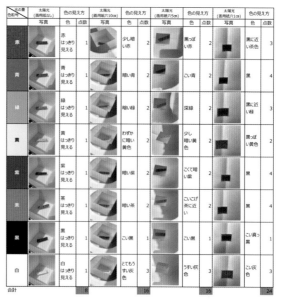

光の量 色船号	太陽光（画用紙なし）			太陽光（画用紙穴10cm）			太陽光（画用紙穴5cm）			太陽光（画用紙穴1cm）		
	写真	色	点数	写真	色	点数	写真	色	点数	写真	色	点数
赤		赤はっきり見える	1		少し暗い赤	2		黒っぽい赤	2		黒に近い茶色	3
青		青はっきり見える	1		暗い青	2		こい青	2		黒	4
緑		緑はっきり見える	1		暗い緑	2		深緑	2		黒に近い緑	3
黄		黄はっきり見える	1		わずかに暗い黄色	2		少し暗い黄色	2		黒っぽい黄色	2
紫		紫はっきり見える	1		暗い紫	2		こくて暗い紫	2		黒	4
茶		茶はっきり見える	1		暗い茶	2		こいこげ茶に近い	2		黒	4
黒		黒はっきり見える	1		こい黒	2		こい黒	2		こい真っ黒	1
白		白はっきり見える	1		とてもうすい灰色			うすい灰色	3		こい灰色	3
合計			8			16			16			24

図3　実験1の結果

〈結果から分かったこと〉

・光の量によって物（色船号）の色の見え方に違いがあった。

・光の量が少なくなるほど，物（色船号）の色は暗く，濃く，黒っぽい色になる。

・穴1cmでは他の光の量よりかなり見えにくくなる。つまり，物の色が見えるには，十分な光の量が必要だと分かった。

【実験2：光の種類（色）によって物の色の見え方に違いがあるかを調べる】

　信号やお店の看板は夜，色々な色に光り遠くから見える。暮らしの中の光には色々な色があることに気づいた。そこで様々な光が当たった物の見え方に疑問をもった。

①6種類の色の電球を電気スタンドに取り付け，スタンドの高さを固定する。

②実験1で使用した箱のふたをあけ，8色の色船号を中に入れる。

③机の上に置いた箱は，同じ場所で実験できるよう机に目印をつけておく。

〈結果〉

　色の見え方の違いを数字（点数）にして表とグラフに表す。色の見え方に違いが大きいほど数字を大きくする。

　物の色と違う色に見える＝3点　同じ色だが暗く，濃く，薄く見える＝2点　同じ色に見える＝1点　黄色の色船号は14点となる（図4）。

　6種類の光の中で物の色に違いを与えた光は，1位が青（21点）2位は赤，黄（18点）だった。

〈結果から分かったこと〉

　同じ色の物でも当てる光の種類によって物の色の見え方に違いがあった。物そのものの色の違いと当てた光の種類の違いの両方が物の色の見え方に影響を与えることが分かった。

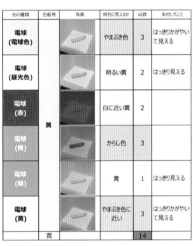

光の種類	色船号	写真	何色に見えるか	点数	気付いたこと
電球(電球色)	黄		やまぶき色	3	はっきりかがやいて見える
電球(昼光色)			明るい黄	2	はっきり見える
電球(赤)			白に近い黄	2	
電球(青)			からし色	3	
電球(緑)			黄	1	はっきり見える
電球(黄)			やまぶき色に近い	3	はっきりかがやいて見える
	黄			14	

図4　実験2の結果

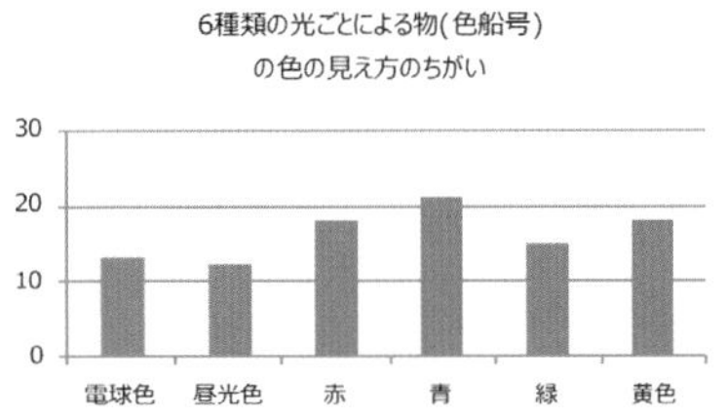

6種類の光ごとによる物(色船号)の色の見え方のちがい

図5　実験2の結果のグラフ

� さらに研究したいこと

　実験で赤，青，緑の光をすべてまぜると白色になると知ったが信じられなかった。なぜ，絵の具のときのように黒っぽくならないのか。実験1で1cmの穴で光を取り入れた箱では，ほとんど黒に近く見えたことを思い出した。黒に近く見えたのは光の量が少ないということで，光をいくら組み合わせても黒色の光を作り出すことはできないのではないかと思った。実験してみようと思う。

作品について

　「実験をしてしばらく経っても物の色がなぜ見えるのか分からなかった。分かったきっかけは，知っていることの中に答えはないか，何か良い考えはないか探り続けたからである。何度も確かめることや見方を変えるなどのやり方をいくつも考えることや結果の内容を分かりやすくしたり，もっと知りたい時には，数字や表やグラフや図で表す工夫をしてみたりすることが大切だと改めて分かった。」

　この言葉は，貴堂さんが作品の最後のページに感想として，書いたものです。紙幅の関係で載せることはできませんでしたが，貴堂さんは5つの実験を行いました。実験を終えて結論が出るとすぐに，新しい疑問が出てきて次の実験が始まります。実験結果から分かったことと同時に，分からなくなったり，さらに詳しく調べようとしたりするからこそ，実験が連続していくのだろうと思います。実験では，分かったことと同じか，それ以上にさらに調べたくなったことに価値があります。

図6　実験中の様子

　箱の内側に貼る色や素材を変えて光を当てると物の色の見え方に違いがあるのかを調べた実験3からも，分かったことと同時に，「物の色に加えて物の周りのかべや床の色も加わって見えるのではないか」といった疑問が出ました。その疑問は，実験4の基になっていました。

　疑問だけではなく，これまでの実験で得てきた結果も大切にして，次の実験計画にこれまでの結果を取り入れるなど，研究にとって大切な姿も見られました。例えば，実験4では全ての色船号を使うのではなく，実験2の結果を基に色の見え方の違いの大きい物（色船号）を使うなどの工夫がありました。

　また，実験結果を整理する際にも数字で表すために，判断の基準をはっきりとさせた点数のルールを決めました。点数になったことで，グラフにして結果を比べることもできるようになりました。自分で行った研究を友達に説明する際にも，とても大切になります。多くの実験を行い，丁寧にまとめた根気強さやあくなき探究心が作品にもよく表れていました。

「ポン」の音を究める！

おおとも
大友 さやか

［筑波大学附属小学校 5年生］

私は筒を開けるときの「ポン」という音が好きだ。
その音を「大きい、高い、響く」という3つのポイント
から調べてみた。
音の大きさや高さの測定には、手軽に利用できるスマ
ホアプリを使った。
人間の耳では聞き分けることはできないけれど、2通
りの「ポン」という音が出ているという意外なことも
分かって驚いた。

I 研究の概要

研究の動機・目的

　私は，お菓子のチョコレートが入っている筒を開けたときにする「ポン」といういい音が好きだ。賞状を入れる筒も，色鉛筆が入っていた筒も同じように「ポン」という音が出るけれど，少しずつ音がちがう。そこで，より理想的な「ポン」という音を出すにはどうしたらよいか研究してみることにした。

予想と実験方法

　私が思う，よい「ポン」の音は①高い　②大きい　③響く　音である。この音を出すために，次のことを予想した。

　筒の形は円柱の形がよいのではないか。／筒が大きくて長い方がよいのではないか。／素早くフタを開けた方がよいのではないか。／フタや本体を持つ指は少ない方がよいのではないか。／フタの底の素材が金属の方がよい音が出るのではないか。／金属製など硬い筒の方が高い音が出るのではないか。

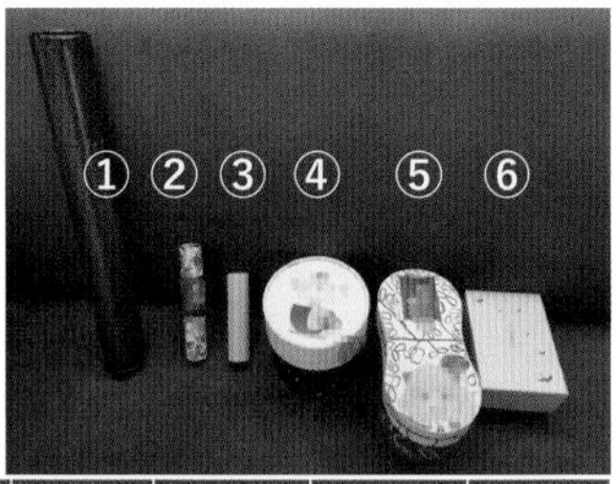

　音の大きさ（dB）は，Android スマートフォンとアプリ「Sound Meter」，音の高さ(Hz)はアプリ「Spectroid」を使って測定した。

実験と結果

【実験1：箱の形は音に影響するか】

　それぞれの容器のフタを開け，10回ずつ調べた。予想した通り，底が丸い，円柱の形の方が，音が大きく出た。高さが低い円柱では大きな音が出にくかったため，大きな音を出すためにはある程度の高さが必要だと思った。

名前 （底の形） ＜高さ＞	①賞状筒 （円） ＜高さ＞	②チョコ筒 （円） ＜高さ＞	③色鉛筆筒 （円） ＜高さ＞	④クッキー箱 （円） ＜低い＞	⑤ピーナツ箱 （ピーナツ） ＜低い＞	⑥お菓子箱 （長方形） ＜低い＞
底の大きさ	直径 4.8cm	直径2cm	直径2.5cm	直径11cm	長径19cm くびれ4.8cm	12.5×9cm
本体の高さ （長さ）	34cm	12.5cm	7.5cm	11cm	9cm	5.5cm
音の大きさ 平均値(dB)	79.2	76.8	77.5	73.4	測定不可能	測定不可能
音の高さ （Hz）	234	650	984	745	275？ 波形の山が はっきりしない	586？ 波形の山が はっきりしない
ふたの密着 度	きつい	きつい	きつい	やや緩い	緩い	緩い
音についての 気づき	「ポン」 低い音 よく響く	「ポン」 高い音	「ポン」 高い音	「ポン」 高い音	「ガサッ」とい う小さな音	「スカッ」とい う小さな音

図1　実験1の結果

【実験2：筒の長さで音は変わるのか】

　筒本体の長さを短くすると，音の高さはどんどん高くなった。音の大きさはやや小さくなる傾向にあった。

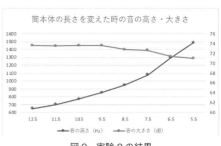

図2　実験2の結果

【実験3：フタを開けるスピードは音に影響するか】

予想通り，ゆっくり開けると，音は小さくなった。音の高さはあまり変わらなかった。

開ける秒数	1秒	2秒	3秒
音の大きさ平均値(dB)	75.5	63.5	58.2
音の高さ(Hz)	650	652.5	657.2

図3　実験3の結果

【実験4：フタを持つ指の本数により音は吸収されるのか】

指の本数は音の大きさにも高さにも影響しないようだった。つまり，指に音は吸収されていないと考える。

ふたの指本数 本体の指本数 （合計本数）	4 5 (9)	3 4 (7)	2 4 (6)	2 2 (4)	3 3 (6)
音の大きさ平均値(dB)	73.8	74.0	72.5	74.6	73.4
音の高さ(Hz)	650	650	650	650	650

図4　実験4の結果

【実験5：筒の底の素材は音に影響を与えるのか】

底の素材を比較的柔らかいものから硬いものに変えてみても，「ポン」という音の高さと大きさには影響はなく，ほぼ一定だった。

	木	アルミ	真鍮
音の高さ(Hz)	902	902	902
音の大きさ(dB)	69.0	71.8	71.7

図5　実験5の結果

【実験6：筒の素材は，紙ではなく金属の方がよいのか】

筒の素材が紙（柔らかい）のときよりも，金属のときのほうがより高い「ポン」の音が出ているように感じたが，数値で見るとほとんど差はなかった。アナライザの波形で見ると，金属の筒の方が波形の山がとがっていて，紙の筒ではなだらかだった。紙の筒では785Hz前後のやや広い音の高さ

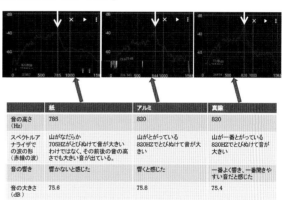

	紙	アルミ	真鍮
音の高さ(Hz)	785	820	820
スペクトルアナライザでの波の形（赤線の波）	山がなだらか 705HZがとびぬけて音が大きいわけではなく，その前後の音の高さでも大きい音が出ている。	山がとがっている 820HZでとびぬけて音が大きい	山が一番とがっている 820HZでとびぬけて音が大きい
音の響き	響かないと感じた	響くと感じた	一番よく響き，一番聞きやすい音だと感じた
音の大きさ(dB)	75.6	75.8	75.4

図6　実験6の結果

で「ポン」という音が出ていたのに対して，金属ではほぼ820Hzの狭い音の高さであった。だから金属の方が大きく聞こえたのかなと思った。

考察

①大きい「ポン」の音を出すためには，フタつき容器の形は筒状（底面が小さく，高さがある円柱状）が一番よい。四角よりも丸型の方が，音が出やすい。フタを引っ張る速さが速いほど，大きな音が出る。

②筒のフタを開けたときの「ポン」の音の高さは，筒本体が短いほど高い音が出る。

③筒の素材による音のちがいを調べてみると，底の素材を変えただけではあまり変化しなかったが，筒の素材をアルミや真鍮に変えると音の高さと響きが変化した。

作品について

　自分が理想とする「ポン」の音を出したい，という研究のきっかけにユーモアを感じます。何の役に立つか直接的には分からないけれど，自分の関心に沿って研究していくことは，実は科学の発展において大切なことです。下村 脩 氏は，オワンクラゲがなぜ緑色に光るのかを明らかにすることを目的に研究し，緑色蛍光タンパク質（GFP）を発見しました。この GFP がその後，生物学の研究において活用されたことは有名な話です。功績が認められ，下村脩氏は 2008 年にノーベル化学賞を受賞しました。

　音の研究には難しさがあります。聞こえ方は個人差があるため，再現性や客観性をもたせるために視覚化するなどの一工夫が必要なのです。大友さんは「ポン」の音の追究をするにあたり，スマートフォンのアプリを活用しています。これにより，音の大きさや高さを数値で表現することができ，音と音の違いも比較する視点が明確になっています。音について，科学的に追究しているところが素晴らしいです。素材による音の違いについては，数値による違いは表れませんでした。そこでアナライザの波形も比較することで聞こえ方の違いについて考察しています。グラフの読み取り方を正しく理解し，よく考えていることが伝わります。

　本文では 紹 介しきれませんでしたが，追加実験として①筒本体ではなくフタ自体も音を出しているのか，②チョコレートの筒を改良することで高い音が出るのではないか，ということを調べています。その結果，①フタからも音が出ていること，②筒の側面に小さな孔を開けることで音の高さを変えることができること，を明らかにしています。目的をもち，予想を立てて，適切な方法で科学的に調べ，結果から目的に沿った結論を出すこと，この一貫性が本文の実験だけでなく追加実験にもありました。必要な情報は参考文献を用いて集めながら，見通しをもち，最後まで取り組むことができています。

図7　リコーダーには孔がある

カラダと地球にやさしい エコ石けん

～サポニンの効果を探れ!!～

箱田 有香
（はこだ ゆうか）

［筑波大学附属小学校 5年生］

「石けんの実」と呼ばれている不思議な木の実を皆さんは知っていますか??
「ムクロジ（無患子）」という羽根突きの黒い玉にも使われる木の実です。
このムクロジの実の皮には「サポニン」という石けんのもとになる成分が含まれていて、江戸時代には石けん代わりに使われていたそうです。
私はこのサポニンの効果を調べました。

Ⅰ 研究の概要

✐ 研究の動機・目的

　羽根つきに使われる黒い球が，ムクロジという木の種であることを知った。その皮にはサポニンという成分が含まれていて，江戸時代では石けん代わりに使われていたそうだ。このサポニンはいろいろな植物や食べ物にも含まれていることが分かった。これらの材料を集めて，それぞれの洗浄効果を比較してみることにした。

✐ 実験方法

(1) サポニンが含まれている植物の中から，①ムクロジの皮，②栃の実，③サイカチの実，④コーヒー豆，⑤ごぼうの皮，⑥緑茶，⑦小豆の粉，⑧にんじんの皮（サポニンが入っている高麗にんじんの代用）の8種類を集める。

図1　実験材料

(2) 条件を変えた液体をガラス瓶に入れて，30秒上下に振って，泡立ち度合いを比較する。

(3) (2) のそれぞれをビーカーに入れて，そこに①口紅（油性），②ミートソース（水油性），③泥（不溶性）の汚れをしみ込ませた布を，かくはん器で洗たく機のように2分間かき混ぜて，汚れの落ち具合を比較する。

　汚れの落ちの判定：5 あとかたもなくなる　4 背面の白い布が見える　3 まあまあ落ちているが背面の白い布は見えない　2 少ししか落ちていない　1 ほとんど落ちていない

図2　汚れの落ち具合の実験

▼ 実験と結果

【実験1：常温の水で泡の高さと汚れの落ち具合を予測し結果と比較する】

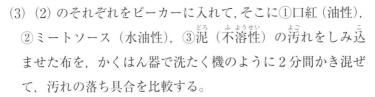

水温28℃		ムクロジの皮	栃の実	サイカチの実	コーヒー豆	ごぼうの皮	緑茶	小豆の粉	にんじんの皮	何も加えない
予測	泡の高さ	2	1	0.5		0.1		0.5	0.8	0
	口紅	4	4	4	3	2	1	1	1	1
	ミートソース	2	3	2	2	3	1	2	1	1
	泥	5	5	5	4	3	1	5	1	1
結果	泡の高さ(cm)	5.5(+3.5)	4.5(+3.5)	5(+4.5)	0(-1)	0.4(+0.3)	0.9(-0.1)	1(+0.5)	0(-0.8)	0(±0)
	口紅	1(-3)	1(-3)	2(-2)	1(-2)	2(±0)	1(±0)	1(±0)	1(±0)	1(±0)
	ミートソース	4(+2)	3(±0)	3(+1)	1(-1)	3(±0)	1(±0)	2(±0)	1(±0)	1(±0)
	泥	3(-2)	4(-1)	2(-2)	4(±0)	1(-2)	1(-2)	4(-1)	1(±0)	1(±0)
	合計	8	8	7	6	6	3	7	3	3
	泡立ちの状況写真									
	汚れの落ち具合写真上から 口紅 ミートソース 泥									

図3　実験1の結果

常温では，効果があまり見られなかったので，実験2では水温50℃，実験3では水温70℃で実験を行う。台湾にムクロジ石けんを生産している会社があることを知り，インタビューをしてきた。そこでムクロジにオリーブ油を混ぜて石けんを作っていることを聞いたので，実験4では70℃の水にオリーブ油を加えて試してみた。

【実験1～実験4の結果まとめ】

実験1～4までの泡立ちの高さの合計を出し，表とグラフを作成した。

(単位：cm)

	ムクロジの皮	栃の実	サイカチの実	小豆の粉	緑茶	ごぼうの皮	コーヒー豆	にんじんの皮
実験1(水温28℃)	5.5	4.5	5	1	0.9	0.4	0	0
実験2(水温50℃)	5	5	4.5	2.5	0.3	0.1	0.3	0
実験3(水温50℃)	9.5	4.5	0	0.3	0.3	0	0.2	0
実験4(水温70℃+油)	0.5	1.5	0.1	0.5	0.2	0	0	0
合計の高さ	20.5	15.5	9.6	4.3	1.7	0.5	0.5	0

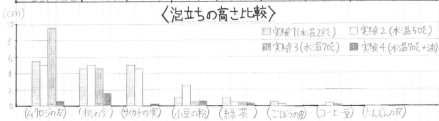

〈泡立ちの高さ比較〉

図4　実験結果から作成した表とグラフ（泡立ちの高さ）

実験1～4までの汚れの落ち具合の合計点数を集計し，表とグラフを作成した。

(単位：点数)

口紅エ+ミートソース+泥	栃の実	ムクロジの皮	サイカチの実	小豆の粉	ごぼうの皮	コーヒー豆	緑茶	にんじんの皮
実験1(水温28℃)	8	8	7	7	7	6	3	3
実験2(水温50℃)	9	9	9	7	3	5	7	5
実験3(水温70℃)	10	11	7	8	8	4	6	5
実験4(水温70℃+油)	12	8	9	7	7	8	6	5
合計得点	39	36	32	29	25	23	22	18

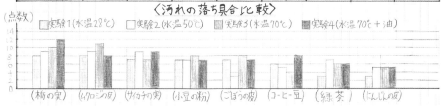

〈汚れの落ち具合比較〉

図5　実験結果から作成した表とグラフ（汚れの落ち具合）

▼ 感想とまとめ

今回の実験を通して，植物に含まれているサポニンの洗浄効果を確認することができた。実験終了後，ムクロジの皮を布にくるんで体を洗ってみたら，体の汚れもきれいに落ちたので，まさに"石けんの実"だと実感した。栃の実は食用のイメージだったが，調べてみるとムクロジ科だったので，石けんの実の仲間だと思った。ムクロジは体や生活環境をきれいに保ち，CO_2（二酸化炭素）を吸収するエコな木だと知り，ムクロジのことをもっと知りたくなった。

作品について

　ムクロジを漢字で書くと，無患子です。患（わずら）うことが無い，つまり病気にならないということで縁起（えんぎ）のよい木とされています。この木の種は，羽根つきの玉に使われています。昔は石けんの代用としても使われていました。

　このムクロジの実の皮が石けんの代用として使われていたのは，サポニンという成分を多く含んでいるからです。箱田さんは，このサポニンに注目して研究を進めました。

　まず，サポニンを含む植物を調べて，それを集めることから研究はスタートします。全部で8種類もの木の実や食品を集め，その洗浄効果を調べました。手で洗うより同じ条件で調べることができるかくはん器を使ったり，汚れの落ち具合を明確にするために，数値化したりする工夫が見られました。

　この研究では，4パターンの液体×8種類の植物を使った32回の泡立ち実験と計108枚の布を使った洗浄実験を行っています。温度の調整も大変だったと思います。その地道な努力を積み重ねることで，サポニンの洗浄効果を明確にすることができました。

　サポニンの洗浄効果をさらに高めたいと悩（なや）んでいた時，ムクロジ石けんを生産している会社が台湾にあることを知り，どうしても訪問したくなったそうです。ご家族の協力もあり，台湾南部の台南市にある大手「古宝無患子生技開発有限公司」本社を訪問して，王社長にインタビューをしてきました。それが，研究をステップアップさせることにつながりました。箱田さんがムクロジの研究をしていて，王社長にインタビューしている様子は，地元新聞でも取り上げられたそうです。箱田さんの根気と行動力に感服です。

　この研究全体を読ませてもらったとき，研究の流れ，結果がとても分かりやすかったです。研究のまとめ方にも優れたものを感じました。

図6　工場の入口，ムクロジ商品を手に王社長と撮影（さつえい）

2023

第18回
小学生の部

ペットボトル飲料
最後の一滴？

ふじもと れ お な
藤本 怜央菜

［筑波大学附属小学校 5年生］

ペットボトル飲料を最後まで飲み切ったことがあります
か？
私は約70種類のペットボトルを計測し、飲み残しが
少ないペットボトルの特徴を追究しました。
ラベルレスの代わりに可愛いデザインのペットボトル
には飲み残しが多いという気付きもありました。環境
のためには飲み残しにも着目したデザインが必要だと
思います。

Ⅰ 研究の概要

📋 研究の動機・目的

　ペットボトル飲料は，飲みきったと思っても，必ず中身が残ってしまう。4年生のとき，社会科の学習を通じて，ペットボトルをすすいでからリサイクルに出すことに積極的になったので，最後まで飲みきれないと，すすぐ水の量も増えてしまい，残念な気持ちになってしまう。そこで，ペットボトル1本あたりでどれくらいの飲み残しがあるのか，そして，どうして飲み残しができてしまうのかを調べることにした。

📋 実験と結果

【実験1：ペットボトル1本あたりの飲み残しを調べる】

　「飲み残し」を「ペットボトルを逆さにして，これ以上出てこない状態でボトルの中に残っている液体を指す」と定義し，ペットボトル1本あたりの飲み残しの量を測定したところ，結果はグラフ（図1）のようになった。

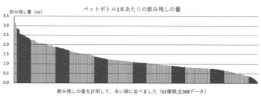

図1　ペットボトル1本あたりの飲み残しの量

　ペットボトル1種類につき5回の測定を行っても，飲み残しは同じ数値帯だったことから，飲み残しの量はペットボトルのデザインと関係があるのではないかと考えた。

【実験2：ペットボトルのどこに飲み残しがたまりやすいかを調べる】

　ペットボトルのデザインに注目し，横溝やくぼみの部分に飲み残しがたまりやすいと予想し，実験を行った。実験では，ブラックライトで光る性質のあるビタミンB群が含まれているスポーツ飲料をペットボトルに行きわたらせた上で取り出してから，ブラックライトを照射して，飲み残しの部分を観察した。結果は，横溝や細かいもよう，ロゴの文字などには飲み残しがたまりやすいことが分かった。

【個別のデザインについての分析①：横溝の本数と飲み残しの関係について】

　実験2の結果から，横溝がある場合を1点，ない場合を0点とするなどして，デザインを数値化したものと飲み残しの関係を調べたが，納得できる分析とはならなかった。そこで，デザインの数値化を再度検討し直し，横溝の本数（1～15本）と飲み残しの関係を調べると，図2のようになり，横溝が5本以上だと，全ペットボトルの飲

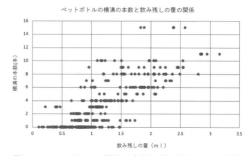

図2　ペットボトルの横溝の本数と飲み残しの量の関係

み残しの平均である 1.2 mL を超えていることから，飲み残しの量を減らすためのペットボトルの条件は，横溝4本までと考えた。

【個別のデザインについての分析②：横溝の形状と深さと飲み残しの関係について】

また，ペットボトルを観察していると，横溝が3種類の形（台形型，V字型，U字型）に分類できることに気づき，形状ごとに分類し，それぞれの溝の深さを調べた上で，飲み残しの量との関係について分析すると，図3のようになった。横溝の形状ごとに，飲み残しの流れ方に特徴はあるものの，分析①と同様に，飲み残しの量を減らすためのペットボトルの条件を

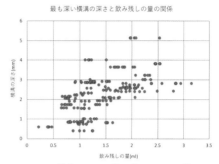

図3 横溝の深さと飲み残しの量の関係

考えると，台形型の横溝の深さは 2.3 mm 以下，U字型の横溝は効果的であると考えた。

【個別のデザインについての分析③：絵柄やロゴが取り込む飲料の量について】

実験2から，絵柄やロゴがあると，飲み残しがたまりやすいことが分かったが，さらに詳しく調べた。

方法としては，ペットボトルの絵柄を長方形状に切り出し，スポーツ飲料で満たした皿にペットボトルの内側部分をつけ，特に液体がたまる部分を観察し，そのくぼみの深さを調べた。また，乾燥しているときと液体につけた後の重さをはかり，液体が入り込んだときの重さの変化率を調べた。

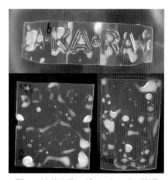

図4 液体を取り込んだロゴや絵柄

その結果，何も装飾のないペットボトル片では，重さが5％ほど重くなるのに対し，ロゴや絵柄のでこぼこによって重さが7％から60％を超えるものまであり，ロゴやデザインが入れば，飲み残しの量が必ず増えることが分かった。

▼ おわりに

ペットボトルのデザインについて，いろいろな視点で調べてみると，おもしろい発見がたくさんあった。飲み残しの量を減らすために始めたが，飲み残しの量を減らせるデザインのヒントが見つかったことは，とてもうれしかった。

今回の研究を基に，中の飲み物がスルッと全部出てきて，目でも楽しいデザインを考えたい。そして，牛乳パックや紙パック飲料の飲み残しも減らしたいという思いもある。この飲み残しについても，研究してみたいと思った。

作品について

　まず何よりも，このテーマ設定にある，ペットボトルの飲み残しに着目した
ということが，研究の独創性をより一層高めています。ペットボトルを捨てる
ときに，飲み残しがないように最後まで飲む人はたくさんいますが，最後の最
後に残ったその数滴への「こだわり」が，おそらくこの研究の高い独創性の原
点だったのではないでしょうか。自分の「こだわり」に目を向けることこそ，
新しい「科学の芽」を見つけるための出発点なのかもしれません。

　そして，これだけ高い独創性を備えた研究だと，誰も調べたことのないこと
を調べることになり，実験方法を考えるのは大変です。しかし，ペットボトル
の飲み残しを定量的に測定する方法，そして，飲み残しを見えるようにするた
めの方法と，次から次へと，科学的に調べるときに大切な条件である実証性，
再現性，客観性を備えた方法を考えだしており，とても高い探究力が垣間見え
ました。さらに，その実験方法を発想する際にとても素晴らしかったことがあ
ります。それは，「要素を的確に見つけ出している」ということです。例えば，
5年生では振り子の学習をしますが，この学習では，「振り子の長さ」，「ふれ
はば」，「おもりの重さ」と「周期（一往復の時間）」との関係を調べます。こ
れらの振り子の要素は，他の子どもの気づきを聞いたり，振り子をよく見たり
することで，見つけ出せます。しかし，この研究のように，誰も調べたことの
ないことを調べるときに，その要素を見つけ出すことは至難の技です。ところ
が，「溝の数」や「溝の形状」，「溝の深さ」，「飲み口の角度」，「ロゴや絵柄の
種類」といったように，さまざまな要素を見つけ出し，それらの要素と飲み残
しの関係を調べています。この要素を見つけ出せたことが，研究全体の独創性
をより一層高めているといえます。

　また，一つ一つの実験方法を詳しく見てみると，飲み残しを明確に定義した
り，飲み残しを調べるために，一つのペットボトルにつき5回もの試行をし，
それを60本以上調べていたりと，実験を正確に行おうとする工夫が随所に見
られました。これらの工夫が積み重なり，傾向が一目で分かる美しいグラフの
完成につながったのだと思います。

　科学的に物事を調べるときに大切なことが全て詰まったかのような研究でし
た。ここで得られたことを今後も活かして，新しいチャレンジに期待したいです。

2023

第18回
小学生の部

テントウムシのひみつ パート6

～なぜたくさん卵があるのに幼虫になると数が減っちゃうの？～

江﨑 心瑚
（えさき ここ）

[多治見市立根本小学校 6年生]

毎年たくさんの卵を見つけるのに、幼虫になると数が減ってしまうのはなぜ？ テントウムシが育つ最適条件を調べたいと思った。100匹を育てる実験ではエサの準備が大変だった。でも元気がなくなる幼虫を見るのはもっと悲しかった。3日目までの様子がその後の育ちに大きく影響していた。成虫は小さな命が生き残る確率を強く生き抜いた奇跡の姿である。

I 研究の概要

☑ 研究の動機・目的

　5年生までの研究でテントウムシのひみつがたくさん分かった。そして，毎年続けている種類別の数調べをしていて，すごく疑問に思うことがある。それは，毎年100個近くのたくさんの卵を見つけるのに，幼虫・さなぎになると急激に数が減ってしまうこと。その理由を解き明かして，幼虫が育つ最適条件を見つけたい。

☑ 研究方法

①テントウムシの生息の様子を調べて，種類別の数の変化を調べる。

②テントウムシを卵から育てて観察し，卵から幼虫へと成長する様子と変化を調べる。

③1令幼虫がたくさん育つ最適条件を調べるための実験をする。

④顕微鏡（けんびきょう）で調べたり昆虫（こんちゅう）博士に聞いたりして，体の仕組みのひみつを見つける。

⑤卵100個からみんな幼虫へ育てる実験と他の生き物の成長の様子を比較（ひかく）する。

⑥仕上げの作品作りをして，テントウムシの成長について分かったことをまとめる。

Y 調査実験と結果

【調査実験1：テントウムシの生育の様子を調べよう】

　卵の数は4～6月に多く，50個以上見つけることができる。また，成虫も20匹（ひき）以上見つけることができる。けれど幼虫の数は，どの月も10匹以下しか見つからず，卵の時との数に大きな差がある。

【調査実験2：1令幼虫がたくさん育つ最適条件は何かな？】

①温度を変えてみよう　40℃以上暑い場所や10℃以下の寒い場所では，夏眠や冬眠をするように動きをとめる。35℃以上の場所では激しく動き回る。激しく動き回ると元気そうに見えるけど無駄（むだ）な体力を使ってしまう。

②明るさを変えてみよう　明るい方が光を目指して元気に動き回り，暗い方がじっとして動かない。温度を25℃近くに保てば，明るさに関係なく元気に過ごす。

③幼虫の数を変えてみよう　10匹以上の幼虫が同じ場所にいると共食いやエサの取り合いがおこり，じっとしている幼虫は自分の食べるエサがどんどんなくなってしまう。

【調査実験3：卵から幼虫へと成長する様子の変化を調べよう】

①顕微鏡で調べよう

②卵を0日目とした時の幼虫の数の変化　幼虫は，1～7日目の間に急激に数が減ってしまう。

③昆虫博士から体の仕組みを学ぼう　長野県「昆虫体験学習館」館長の金子順一郎先

生にインタビューを
する。

「2匹の成虫から36
匹の成虫が育ったら，
18倍になりますね。
これが繰り返されてい

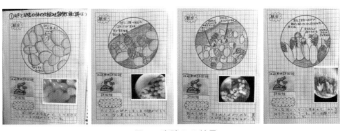

図1　実験3の結果

くと，数が増えすぎてしまいませんか。自然界の生き物は，体の丈夫なものだけが
生き残れるようになっています。」

【調査実験4：テントウムシの卵から幼虫への成長はどれくらいすごいの？】

①卵100個からみんな幼虫へ育てよう！　毎日アブラムシを食べ続けている幼虫だけ
　が強く生き残っていく。4～5日で幼虫の育ちに差が出てくる。生まれた時の大きさ・
　食べる・動くの3つのパワーがそろうと，大きく成長することが分かる。2令幼虫
　後も強く生き残れたのは，100匹中1匹。

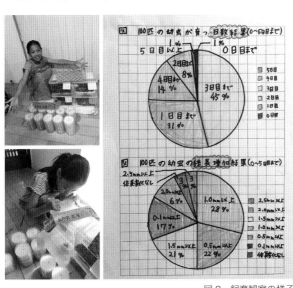
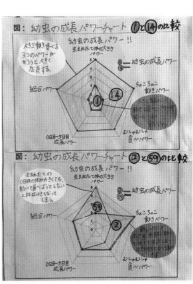

図2　飼育観察の様子

☑ 研究のまとめ

　卵から2令幼虫後も成長したのは，100匹中1匹。以前の研究結果とつなげると，
幼虫が卵から成虫へと成長できる確率は36分の1～100分の1。育つ環境によって
は動き回って無駄な体力を使ったり，共食いが起きてしまったりする。4～5日目で
幼虫の育ちに差が出てくるので，生まれた時の体の大きさ・アブラムシをつかまえて
確実に3日目以降も食べ続ける力・じっとしているだけでなく動き回ってアブラムシ
を探し続ける力，3つのパワーがそろうと大きく成長することができる。

作品について

「全くテントウムシが見つからない時に，やっと見つけた1匹の成虫が，たくさんの卵を生んだ時，その成虫を「奇跡ちゃん」と名付けた。100匹の幼虫の中で1匹だけが2令幼虫へと成長していく脱皮の姿を見た時，その幼虫を「奇跡くん」と名付けた。

図3　奇跡ちゃんと奇跡くん

　私が大好きなテントウムシは，たくさんのひみつとすごいわざをもっていて強く生きているから，100個の卵から100匹の幼虫を育てることだってできるんじゃないかなと思った。毎日お世話をしながら楽しみになった。でも，前の日すごく元気だったのに，毎日何匹か動かなくなってどんどん小さく縮んでいく姿をみて涙が出たよ。何回も泣いたよ。」

　この「終わりに」の文に，6年間のテントウムシと江﨑さんとの関わりが集約されているのではないでしょうか。

　自然界では，天敵もいますから，テントウムシは，もっと過酷で厳しい世界を生き抜いています。江﨑さんが見つけた成虫は，まさに奇跡ちゃんと呼ぶにふさわしい1匹だったと思います。自然を対象にして研究をすることのよさは，見える世界観が変わってくることだと思います。「あっ，テントウムシをみつけた」で終わるのと，そこに存在するまでのストーリーが想像できるのとでは，自然に対する見方，愛着感が大きく変わってきます。感性の豊かさ，思いやりの心，鋭い観察力，これらは，人として生きていくうえで大切な資質能力になっていきます。無関心とは対極にあるこれらの資質能力が育つ上で，見える世界観が変わる体験は重要な役割を果たすのではないでしょうか。

　人工飼育が難しいとされている生き物が，たくさん存在します。プロの研究者が研究を続けていても，その飼育方法が解明されていないのです。テントウムシが成虫に成長するまでの条件についても，まだ他にあるかもしれません。例えば，水は，多くの生き物にとって必要不可欠なものです。テントウムシの場合はどうなのでしょうか。自然界は，強い体のものだけが生き残れる仕組みになっていますが，複雑で奥深いものだと思います。生餌の生き物を育てることは相当な根気と愛情が必要ですが，江﨑さんなら，さらなる謎の解明ができるのではないでしょうか。今後の研究も期待しています。

王者ボルトに近づけ！速く走るコツとは？

澤田 利周
さわだ　としちか

[富山大学教育学部附属小学校 6年生]

世界最速のボルト選手は身長が195cm。彼が登場するまで短距離走は小さい選手のほうが得意だと言われてきたことを知り、速さの秘密は体形や運動能力ではないと疑って考えるようになった。

小学校最後の陸上記録会の50m走で3位以内に入るという目標を達成すべく、フォーム分析、腕振りの角度とリズム、足の動きに注目。実験から得られたフォームを活かして2位を獲得した！！

Ⅰ 研究の概要

🔲 研究の動機・目的

　世界最速のウサイン・ボルト選手が登場するまで，身長が190cmを超える選手は，短距離に向かないと言われてきた。走ることは，生まれ持った体形や運動能力に左右されるものではないのか。もしかして，違った角度から分析すると走るコツが見えてくるのではないか。ボルト選手を知って，このように考えるようになった。小学校生活最後の今年，9月の陸上記録会の50m走で3位に入ることが目標である。

🔲 実験方法および結果

　埼玉県立大の小学生向けのオープンカレッジ講座に参加し，短距離のフォームの撮影とタイム測定を行い，タイムと走速度，動作フォームの分析方法を学んだ。

〔埼玉県立大学オープンカレッジ〕

2023年8月10日・21日（2日間）

講師：八十島崇 准教授

内容：30mタイム測定とフォーム撮影，パソコンでの動作解析

測定方法：体育館につくった30mのコース。スタートから10m，20m地点とゴールに光電管を設置し，10mごとのラップタイムとゴールまでのタイムを測定。2回測定したうちの良いタイムを使用する。

図1　オープンカレッジでの様子

○測定したタイムをグラフにしてみよう
※2回測定したうちの良い方を入力しよう

	0m	10m	20m	30m
8月10日	0	1.98	3.40	4.77
		↑ここに入力	↑ここに入力	↑ここに入力
8月21日	0	1.98	3.42	4.80
		↑ここに入力	↑ここに入力	↑ここに入力

○測定したタイムから走速度を計算してグラフにしてみよう
※2回測定したうちの良い方の速度が計算されます

	0-10m	10-20m	20-30m
8月10日	5.05	7.04	7.30
	↑速度が計算される		
8月21日	5.05	6.94	7.25
	↑速度が計算される		

〈結果から考えたこと〉

● ボルトのタイムと比較

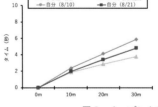
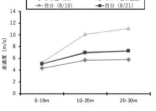

図2　オープンカレッジでの測定結果

　違うところ→①区間ごとの走速度　②ストライドの長さ　③もも上げの速度

　似ているところ→①通過タイムのグラフの傾き　②もも上げ速度と走速度の関係

・ボルトに近づくには10m〜20mの加速スピードで差をつける。

・ストライドを広げる。

・ももを上げる高さではなく上げる速さの意識をもつ。

●動画解析，八十島先生の話を聞いて考えた実験（本紙では紙幅の関係で実験①を紹介）

実験①加速スピードをつけるために　「速く走るための腕の角度は何度？」

実験②ストライドを広げるために　　「ボールが弾むような走りとは？」

実験③もも上げの速さで足を動かす　「腕振りを速くするリズムは？」

【実験１：腕ふりの角度は何度が１番速く走れるか？】

〈実験方法〉プレートを開閉して50度，90度，110度，それぞれの角度になるよう分度器で測り，調整してテープで固定。体育館の30mコースで3回ずつ計測。

〈予想〉90度がいちばん速く走ることができる。腕を振り子運動で考えた時，90度に曲げた時が前後にバランスが取れると思うから。

図3　器具装着の様子

〈実験結果〉

予想通りの90度が一番速かった。しかし，実験装置のプレートが背中の肩甲骨までかかるので，腕を後ろに動かしづらい。振り子の動きをぎこちなくしてしまう。

〈考察からの再実験〉

肩甲骨も振り子の一部分であり，肩の軸を支点にした，腕振りの重要ポイントになっていることが感じられた。それでも3種類のなかでは90度が，バランスよく振り上げて，もどすことができる。

表1　腕振りの角度を変えた実験結果

実験1　腕ふりの角度

修正前　　　　　　　　　　　　　　　　（秒）

	５０度	９０度	１１０度
1回目	6.34	5.28	6.31
2回目	6.62	5.31	5.89
3回目	6.46	5.4	5.95
平均	6.47333333	5.33	6.05

【再実験：肩甲骨の動きがじゃまされないよう，プレートの長さを９cm短くして実験】

〈結果から〉再実験でどの角度もスピードが上がった。110度のときは腕がだらんと垂れ下がって，後ろに引く動きが取りづらい。

表2　再実験の実験結果

修正後　　　　　　　　　　　　　　　　（秒）

	５０度	９０度	１１０度
1回目	6.12	4.96	5.65
2回目	6.1	4.98	5.21
3回目	6.42	4.97	5.62
平均	6.21333333	4.97	5.49333333

▼考察および感想

腕振りは，振り子と同じ動きだと実感した。90度のときは他の角度と比べて明らかに，バランスが取れた状態で無駄な動きがない。

〈感想〉ただがむしゃらに走るのではなく，腕や足，体の使い方を科学の目で見て走ることで「なるほど，こういうことだったんだ！」と実感できた。今回の実験で見つけた理想のフォームをあせらず，時間をかけて体に覚えさせていきたいと思う。

作品について

作品の最後のページに 9 月 13 日に行われた「附属小学校陸上記録会」で 50 m 走のタイムが 7.4 秒となり，昨年の 8.6 秒から大幅な記録更新を行うことが出来たと書いてありました。6 年男子でも見事，第 2 位となり，目標が達成されたことが伝えられていました。本当におめでとうございます。

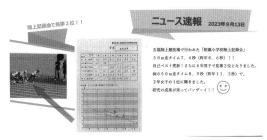

図 4　記録会についてのニュース速報

少しでも速く走るために，走るためのコツを探そうとオープンカレッジ講座に参加し，自分の走りを分析することから始めた研究。自分の走りの分析結果とウサイン・ボルトの走りとを比較しながら，似ている点と異なる点を丁寧に分析し 3 つの実験を考えました。3 つの実験はどれも特徴的で良く考えられたものでした。

実験 1 では，腕振りの角度（腕の角度）を変えながらタイムを計測したところ，試行錯誤を繰り返しながら，90 度の角度が一番速くなることが分かりました。50 度のときに小走り気味になったことから，腕の角度による歩数の違いについても調べるなど，あくなき探究を続けていることが良く分かりました。

実験 2 では，靴の接地面積を小さくすると，走る速さに影響があるのかを調べるため，ビーチサンダルのかかとを切り取り，切り取らないビーチサンダルを履いて走り，タイムを比べました。かかとを

図 5　かかとの無いサンダル

つかない方が，体が弾んで前へ前へ進んでいくような感覚で，ボールになったような気分で軽やかに走ることができたと書かれていました。自分を小さなボールにたとえ，勢いよく前へ前へと進んでいく走り方を目指した素晴らしい実験でした。実験 3 では，腕ふりを速くするためのリズムを探し，腕に装着して振るとシャカシャカ鳴る「すずバンド」を製作。メトロノームを使いながらどの速さで一番音が鳴るのかを調べました。

専門家のアドバイスを基に行ったどの実験も手作りの器具を使い，試行錯誤を積み重ねながら自分の身体を使って取り組んでいました。

陸上記録会の結果もさることながら，経過も素晴らしい研究です。

黒＋黄は警告色？ 誘引色？

おの　はるき
小野 遥紀

［金沢大学附属小学校 6年生］

ジョロウグモは待ち伏せで虫を捕まえるのに、主に警告色として使われる黄色と黒の体色で巣の中心にいるのを不思議に思い、研究を始めました。最初の実験では外でずっと見ている必要があり、蚊やハチ、熱中症のリスクがあり大変でした。工夫を重ね実験を続けた結果、①黄＋黒には虫を誘引する効果がある②ジョロウグモの模様にも秘密がある　ことがわかりました。

I 研究の概要

◢ 研究の動機・目的

　黒と黄色の組み合わせは目立つ。スズメバチなども黒と黄色で「近づくな」と警告しているようだ。しかし，通学路にいるジョロウグモも黒と黄色。巣の真ん中にいるが，警告色であるのなら，エサになる虫が寄ってこなくなり困るのではないかと不思議に思い，調べることにした。

◢ 実験方法

　ジョロウグモの巣やラミネートシートの中心に紙で作ったクモなどを貼り，そこに飛んでくる虫の数を数える。

◢ 実験結果と考察

【実験1：ジョロウグモの巣に黒・黄・モザイクのクモを貼る】

図1　紙で作ったクモ

　巣の中に，画用紙で作ったクモを貼った。3種類のクモを計70分ずつ観察すると，黒：3匹　黄：1匹　モザイク：5匹だった。

　飛んでくる虫の数はモザイクが多かったが，たまたま近くを飛んでいただけかもしれない。クモの巣に獲物がかかる確率は低いので，もっと長い時間観察する必要がある。

　また，クモの巣に紙で作ったクモを貼るのは大変だったので，ラミネートフィルムに貼ることにした。

図2　ラミネートフィルムで作った巣

【実験2：ラミネートフィルムに黒・黄・モザイクのクモを貼る】

　計5時間観察したところ，黄色が一番多く，モザイクが一番少なかった。ついていたのは，アブラムシや小さな葉虫だった。長時間いろいろな場所にしかけておいて実験することができた。

日付	黒	黄	モザイク
7/18	1	2	0
7/14	0	1	0
7/20	0	2	2
計	1	5	2

図3　実験2の結果

【実験3：ラミネートフィルムの黒・黄・モザイクの円を貼る】

　色の影響を調べるために，中心に貼るものを円型に変えた。ついた虫の数はモザイクが一番多かった。クモの形をしていなくても，黄色と黒を組み合わせたモザイク模様には虫を誘引する効果がありそうだ。ついていた虫は蚊，ハエ，ブヨ，小さな葉虫だった。

日付	黒	黄	モザイク	
7/21	3	3	4	6:00～7:40　(1時間40分)
7/22	1	2	4	10:00～16:00　(6時間)
	0	3	2	〃
7/23	0	0	2	〃　〃
	0	0	4	〃　〃
7/24	0	0	4	〃　〃
	2	3	0	〃　〃
計	7	11	17	

図4　実験3に用いた円と結果

【実験より考えたこと】

　集まった虫の数は，以下の順になった。

　実験1　モザイク＞黒＞黄（1時間10分）

実験2　黄＞黒＞モザイク（5時間）

実験3　モザイク＞黄＞黒（37時間40分）

黒一色よりも黄色やモザイク模様の方が，虫を集める効果がありそうだった。観察時間の違いはあるが，自分で描いたモザイク模様のクモと，円型のモザイク模様では，集まる虫の数の順位が違う結果になった。

【実験4：ラミネートフィルムに図鑑のクモと黒・黄のクモを貼る】

自分で描いたモザイク模様には虫が集まらないため，図鑑で調べたジョロウグモの模様を使って実験した。結果，モザイク＞黄＞黒の順に虫が集まった。

日付	黒	黄	モザイク
7/22	1	3	5
〃	0	0	2
7/23	1	0	2
〃	2	2	4
7/24	1	1	0
〃	0	2	2
計	5	8	15

図5　実験4に用いたクモと結果

【実験5：ラミネートフィルムに赤・青・黄のクモを貼る】

ジョロウグモの模様の効果は，黒と黄色の組み合わせ以外でも効果があるのか調べてみたくなった。赤・青・黄の3色で実験した。中心に何も貼らないもの（「無」）もしかけた。

結果，黄は虫を誘引することが分かった。

日付	赤	青	黄	無
7/27	2	1	2	0
〃	2	0	3	0
7/28	4	0	1	0
7/10	4	1	2	0
7/11	0	0	1	0
8/2	2	0	3	0
8/3	1	0	1	0
8/7	1	2	3	0
8/10	1	3	4	3
8/12	2	0	4	4
計	25	10	31	16

図6　実験5に用いたクモと結果

【実験より考えたこと】

ジョロウグモの体色や模様に虫を誘引する効果があることが分かった。自分で描いたモザイク模様には虫があまり集まらず，幾何学的なモザイク模様や本物のクモの模様には虫が集まったので，模様にも虫を誘引する秘密があると考えた。

▼ 疑問に思ったこと

①ラミネートフィルムにかかった虫はジョロウグモのエサになるのか。

カメムシ，アブラムシ，ハエ，アブ，蚊，カゲロウ，他のクモなど2mm～5mm程度の小さな虫ばかりだった。ワナにかかる2mm～5mmくらいの大きさの虫は食べたが，それより大きな虫（1cm程度のチョウ，2cm程度のバッタ）は巣から逃げてしまった。大きな虫はジョロウグモのエサにできない。

②巣の中心にいて天敵に襲われたらどうするか。

巣にいるジョロウグモを指でつつくと，体を揺らしたり巣の端に逃げたり飛び降りたりするなど，巣を利用して攻撃を避けようとした。ジョロウグモにとって巣は，エサをとる道具であり，敵から身を守るための要塞でもあることが分かった。

作品について

　黒と黄色の組み合わせというと，ハチの体色が思い浮かぶ人がいるかもしれません。私たち人間にとっては警戒が必要な色の組み合わせです。道路標識にも黒と黄色の組み合わせのものは利用されており，警戒標識として危険を知らせたり注意を促したりするために用いられています。

　ジョロウグモの体色も黒と黄色だけど，警戒の色であるのならばエサになる虫が寄って来ないのではないか，そのような疑問を芽に，追究が始まります。身近なものをきっかけにしている素朴さもありながら，着眼点が面白いです。

　この追究では，試行錯誤の様子がよく伝わってきます。実験方法として最初に，本物の巣に3種類のクモを貼り付けることを考えます。実際にやってみて，貼り付けることの大変さを知り，また外での活動であるため，ハチなどの虫や熱中症の危険があることを，身をもって感じます。そこから，クモの巣に見立ててラミネートフィルムを用いることを考え改良したことで，長時間，安全に実験ができるようになりました。研究というと，はじめに構想を練った上で計画的に進めるものもありますが，試しにやってみること，困ったことを改善していくことは，基本であり大切なことです。そして，実験方法が改良されて一つの結果を得たことで満足せずに，さらに「〇〇したらどうなるだろう」と，粘り強く追究することで新たな発見につながることも分かります。ジョロウグモの模様についても，発見でしたね。

　本文の中では紹介しきれませんでしたが，さらに疑問に思ったこととして，巣の中心にいるジョロウグモと，中に隠れているクサグモの違いについて，走る速さを調べていました。同じ距離を走らせてタイムを測ったところ，走り方やタイムに違いがあることを明らかにしています。また，巣をはらないハエトリグモと，体のつくりなどを比較しています。いろいろなクモへ研究対象を広げながら関心をもってさらに調べていく姿勢は，子どもらしさの中に「科学の芽」が見てとれます。

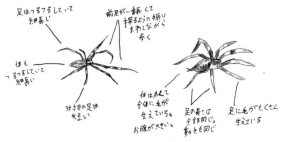

図7　ジョロウグモとハエトリグモのからだのつくり

第2章「科学の芽」を育てる
～発明・発見は失敗から～（中学生の部）

「科学の芽」賞
————————中学生の部について

　「科学の芽」賞の中学生部門に対して，第17回（2022年度）には1,114件（海外からの22件を含む），第18回（2023年度）には1,195件（海外からの24件を含む）の作品が寄せられました。コロナ禍以前の第14回（2018年度，1,719件）までとはいかないまでも，渦中で応募件数が落ち込んだ第15回（2020年度，934件）と第16回（2021年度，1,055件）から少しずつ回復した形になります。行動制限により，様々な制約の中での研究を余儀なくされた以前と比べ，のびのびと精一杯取り組んだ力作が増え，審査する我々も明るい気持ちになれました。応募してくれた生徒のみなさんに惜しみない称賛を送るとともに，お礼を申し添えたいと思います。ありがとうございました。

　ところで，中学生部門の審査は，以下に示す「審査の観点」を基準に行っています。この「審査の観点」は，発足当時から全く変わっていません。身近なものに疑問を抱き，それを解明しようと工夫や努力を積み重ね，成果を発表して周りの人たちと情報を共有すると共に客観的な評価を受けることでブラッシュアップを図る過程こそが，科学の発展を支えてきたと考えているからです。それでは，第17回に受賞した7作品と第18回に受賞した7作品の計14作品について，その特徴と傾向を振り返ってみたいと思います。

【審査の観点】
① 着眼点：ふしぎだと思っているテーマや解決したいテーマが明確であり，さらに魅力的であるか。
② 洞察力：自分の力で，観察・観測・実験・資料調査などを行っているか。
③ 創造力：自分の力で，テーマを解決するための工夫や考察を行っているか。
④ 発表力：自分なりの結果をまとめ，それを的確に人に伝えているか。
⑤ 独創性：今までにない着想・探究・アプローチがあるか。

⑥ 仲間とのチームワーク：共同研究の場合，仲間との協力体制がうまく作られているか。

　トンボを対象とした作品は，動物と自然環境の関わりがテーマで，県内211ヶ所にも及ぶ調査記録から，環境と生息数の関係を見出し，環境保全につなげようとしている点が印象的でした。ザリガニを対象とした作品は，脱皮を繰り返して成長するザリガニの新しい殻が，いつ，どこで，どのようにして作られるかといった脱皮の秘密を，多くの個体を飼育しての観察と，死んだ個体の解剖によって解明しようとしました。ミドリシジミ，エノキワタアブラムシ，オトシブミを対象とした3作品は，多くの個体を目的を持って観察して統計学的に処理することで，不思議な生態の謎を解き明かそうとしたものでした。これら生き物を対象とした研究には現地または飼育下における観察が不可欠であり，どちらも手間と時間のかかる場合がほとんどです。どの作品も，長期的な視野で研究計画を立て，生き物と粘り強く向き合い，膨大なデータを丁寧にまとめるなど，鋭い洞察力が存分に発揮されています。また，生き物に対する愛情もよく伝わってきました。

　ヘビイチゴ，ドクダミを対象とした2作品は，「かゆみ止め」「アレロパシー効果」といった効能を生む成分の正体や影響力を，化学的手法によって探究したものでした。

　一方の紙飛行機，衛星イオ，ミルククラウン，こまを対象とした4作品は，自然現象を物理的手法によって探究したという共通点があります。紙飛行機は，鳥類だけでなく，滑空する動植物全般からヒントを得て，よく飛ぶ紙飛行機の翼の形を発見しました。ミルククラウンは，法則性を見出したことで，誰もが簡単に作れるようにしました。イオは，金属の歪みと発熱の関係から，イオに火山が存在する謎に迫りました。こまは，目視可能な歳差運動から，目視不可能な回転速度を算出し，その関係性を見出しました。いずれも事象を定量的に捉えるためのアイデアと工夫を重ね，そうして得られたデータを使って解析したからこそ為し得たものです。複雑かつ複数の要因がからみあって起こる事象の場合は，その要因をしぼりこんで調べることによって因果関係を見出そうとしており，その科学的手法は高く評価できます。

　ビブラート，水の音を対象とした2作品は，いずれも音声解析アプリを駆使して分析し，ビブラート音の正体や，「ピチョン」などと表現される水滴落下音の謎に迫ろうとしたものでした。また，篠笛を対象とした作品は，高低音の違いを音声解析アプリで分析しただけでなく，その吹き分け方を知るために機械に篠笛を吹かせたり，空気の流れや振動の様子を視覚的に確認できる方法を利用して検証しました。こうした実験装置の開発や模型の製作には様々な苦労があったことが容易に想像できますが，それを上まわる知的好奇心や探究心がその困難を克服する原動力になったことが，作品の内容からよく伝わってきました。

　それでは，限られた紙面ですが，受賞した14作品すべてについて概略を紹介しましょう。

2022

第17回
中学生の部

ザリガニが脱皮をしたあとに現れる新しい殻はどこでどのように作られているのか？

こやま ゆうき
小山 侑己

［つくば市立竹園東中学校 1年生］

小学校1年生のときからザリガニの研究を続けています。今回は脱皮の前後の体の変化を内側から詳しく調べるため、初めて解剖に挑戦しました。殻の下にある薄い膜が少しずつ固くなって殻になることや、尻尾が殻に囲まれた平たい筒状の構造になっていることに驚きました。顕微鏡で今までと違うザリガニの姿を知ることができました。

Ⅰ 研究の概要

研究の動機・目的

　小学校 1 年生のとき，多くのザリガニが同じ日に脱皮していることに気付いた。それ以降，現在までザリガニの脱皮の記録を毎日続け，2 年生から 6 年生まで月齢とザリガニの脱皮との関係について研究してきた。脱皮後に現れる新しい殻はいつ，どのように作られるのだろうか。ふ化させたザリガニを 30 匹以上飼育して脱皮した日付をすべて記録しているため，今後自然に死亡するザリガニを解剖すれば，新しい殻が脱皮後何日くらいでどの程度作られるかが分かるのではないかと考えた。また，ハサミが切断されると脱皮の際に再生するが，古い殻の下に新しい殻が作られるとすると，再生するハサミや一枚構造のように見える尻尾の部分はどのように作られるのだろうか（図 1）。解剖して詳しく調べることにした。

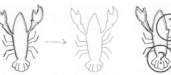

図 1　新しい殻のできかたについての仮説（左）と疑問点（右）

方法

(1) 解剖　飼育していたザリガニ 20D，20D1，21B と捕獲したザリガニ 22P6，22P11，22P13 が死亡したため解剖した。捕獲後に片方のハサミを自切した 22P7 は脱皮した際にハサミが再生したので，4 日目に再生したハサミを切断して観察した。カッターナイフや金属製はさみで殻を切断して，ピンセットで殻の下の部位を露出させ，写真を撮影した。観察には双眼実体顕微鏡やデジタル顕微鏡も使用した。

表 1　解剖したザリガニの一覧

名前	体長(cm)	ふ化した日	脱皮から死亡までの日数
20D	8.0	2020 年1 月 21 日	368 日
20D1	8.0	2020 年4 月 29 日	323 日
21B	7.5	2021 年6 月 17 日	116 日
22P6	6.0	不明	不明
22P7	6.0	不明	生存中(ハサミのみ解剖)
22P11	8.4	不明	不明
22P13	10.5	不明	0 日

(2) ハサミの再生の実験　捕獲したザリガニ 14 匹について，自切または金属製はさみで片方のハサミを切断して，ハサミがどれくらいで再生するのか観察した。

(3) 脱皮の間隔の記録　2020 年にザリガニを交尾させて卵を産ませることに成功し，同じ親から同じ日にふ化したザリガニを同じ条件で育てた。2020 年 1 月 21 日にふ化した 8 匹と 4 月 29 日にふ化した 20 匹のザリガニの脱皮の回数と間隔を記録し，集計してグラフにした。

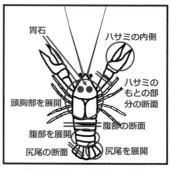

図 2　解剖して観察した部位

📖 結果および考察

（1）解剖の結果（図3～5）

腹部に殻と同じ縞模様の赤い膜や，頭胸部の殻と膜の両方にＹ字型の模様が見えた。黒い殻のザリガニには黒い薄い膜が見えた。殻の下の膜が新しい殻になると考えられる。

尻尾の先端の1枚構造に見えた部分を観察したところ，実際には1枚ではなく外骨格で覆われており，内側に薄い膜と筋肉のような組織があった。ハサミの下にも薄い膜が作られていた。また殻の外側は凹凸があってザラザラしていたが，内側とその下の薄い膜の表面は滑らかだった。このような構造のため，短時間でスムーズに脱皮できると考えられる。

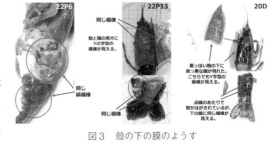

図3　殻の下の膜のようす

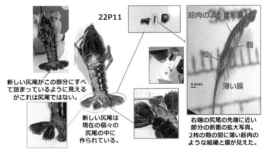

図4　尻尾の内部構造

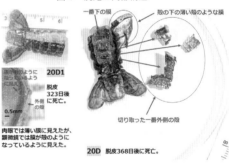

図5　脱皮から死亡までの日数と殻の下の膜の厚さの関係

脱皮後の日数で比較すると，脱皮当日では薄い膜がすでにできていた。脱皮323日後では顕微鏡だと膜が殻のように見え，368日後では一番外側の固い殻の下に薄い殻のような膜があり，その下にさらに薄くてやわらかい膜がある三重構造になっていた。

（2）ハサミの再生の実験

ハサミを自切または切断したザリガニのうち，自切24日後，自切27日後，切断31日後の3匹が脱皮した。3匹とも脱皮後にハサミが再生していたが，新しいハサミの殻が作られる仕組みについてはよく分からなかった。

（3）脱皮の間隔

生存していた20匹のザリガニの平均脱皮回数は9.4回で，脱皮の間隔は次第に長くなった（図6）。だが最短4日（2，3回目）から最長418日（9回目）と個体差が大きかった。

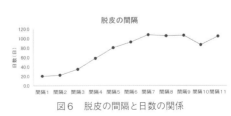

図6　脱皮の間隔と日数の関係

中学生の部

作品について

　小山さんは小学校1年生からザリガニの研究に勤しみ，ほぼ毎日ザリガニを観察し続けてきました。小学校時代のザリガニの脱皮と月齢との関係の研究に関しても1ページ目で触れていましたが，図Aのように長期間にわたる研究を非常に詳細に進めており，結論として「（月の）周期的・段階的な明るさの変化が規則的に脱皮をするためには重要なのかもしれない。脱皮のしくみは思っていたよりも複雑だった」と述べています。

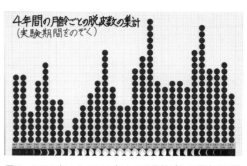

図A　2016年から2019年までの月齢ごとの脱皮の回数

　今回の研究では，脱皮に関する文献調査から始まったようでしたが，「これらの資料だけでは殻の下で新しい殻がどのように作られるかについてはわからなかったことから，自分で新しい殻ができるようすを写真に撮りたいと思った」とのこと。自分の手で新たな知見を得たいという，まさに科学的研究の根幹とも言うべき知的欲求が，研究をここまで深掘りさせる大きな動機付けとなりました。

　小山さんは，解剖学的に大変優れた観察と，それに基づいた深い考察を行っています。概要には入れられませんでしたが，甲殻類の脱皮の際にカルシウムの供給源となる胃石の観察も行っていました（図B）。「膜から殻への急激な変化がどのように起きているのかとても不思議だった」と新たな疑問へと繋がっています。自分が飼育してきたザリガニのうち，死んでしまった個体を用いて研究を進めた点についても，動物を用いた実験観察を行うにあたって命を大切に扱う態度がよく表れており，大変高く評価できます。

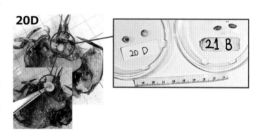

図B　ザリガニの胃石

水はどのような音を出しているのか？

～音声解析アプリを用いた水滴音の研究～

まるやま さら
丸山 紗楽

［筑波大学附属中学校 1年生］

水の落ちる音が「ピチョン」などのたくさんの擬音語で表されることに興味を持って、研究を始めました。耳では聞き分けられないので、音声解析アプリを使い実験しました。水を落とす条件を変えて調べると、ある程度のパターンがあることがわかりました。録音するときに他の音が入ったりして大変でしたが、音の秘密に迫ることができてとても楽しかったです！

研究の動機・目的

　ミルククラウンの実験をしているとき，同じように落とした牛乳の1滴が「ピチョン」「ポチャ」「ポッ」など，いろんな音になることに気付き興味を持った。水に関する擬音語は他にも数多くあり，落ちる条件によってどう変化するのか調べてみた。

実験の方法

〈実験器具（図1）〉

・音声解析アプリ（Audio Spectrum Monitor）

・マイク（RODE Microphones VMGO Ⅱ）

・シリンジ（20 mL）とストロー（内径6 mmと12 mm）

・バルブ（ニッソー金属一方コック AQ-177 内径2 mm）

〈実験手順〉

①水を落下させる高さを調整する支柱（2 m）を立てる。

②クリップ付き自在アームを支柱に取り付ける。

図1　設置した実験装置

③落とす水を入れるシリンジを自在アームではさむ。

④水を均一に落とすため，シリンジにバルブを付けて1滴ずつ（0.05 mL）滴下する。

⑤シリンジの真下に水を入れた水槽を置いて水を受ける。水以外の素材で受ける場合は，水槽の代わりにその素材を置く。

⑥マイクをiPadに接続し，音声解析アプリで水滴音を解析する。

実験と結果・考察

【実験1：水が落ちた時に，どんな音が出ているか？】

　高さ50 cmから1滴ずつ落とすと，2つの音が鳴っていることがあり，「ピチョン」と聞こえるのは「ピ」と「チョン」の2つが連続した音だと分かった。「ピ」音の音程や音量は安定しているが，「チョン」音は不安定で出ないこともある（図2・図3）。

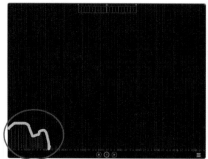

図2　1つ目の音の観察例

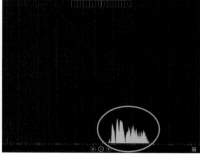

図3　2つ目の音の観察例

図4　シリンジ，
バルブ，ストロー

【実験2：水が落ちる速さによって，音は変わるか？】

高さを 100 cm，150 cm にして水滴の速さを大きくすると，音量は大きくなるが，音程は変化しなかった。ただ，100 cm と 150 cm の間にあまり違いがなく不思議だった。

【実験3：1回に落ちる水の量によって音は変わるか？】

高さ 50 cm から，内径 6 mm（0.25 mL）と 12 mm（1.5 mL）のストロー（図4）で水を落とすと，「ピ」音，「チョン」音とも水量が多くなるほど音量が大きくなり，音域も広くなった。また，「ピ」音の波形は，落ちる水量が1滴の場合2つの山を作るが，水量が増えるとギザギザした波形になった（図5）。

図5　12 mm の「ピ」音

【実験4：水以外のもので受けると，水が落ちた時の音は変わるか？】

紙と鉄では「ピ」音，「チョン」音とも音量や音域は大きく，「ピ」と「チョン」がほぼ同時に出ていて，紙では「ピチョン」より「ピシャッ」が合う。また，布では「チョン」音は鳴らず，「ピ」音は紙や鉄に比べて音量や音域が小さかった（図6）。

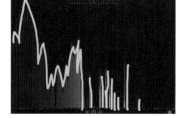

図6　鉄で受けた場合

【実験5：水の粘度によって音は変わるか？①】

水温が高くなると粘度が下がる水の性質を利用して，水滴を受ける水の温度を 5 度と 80 度で比較してみたが，大きな違いは見られなかった。水温による粘度の違い程度では変化が見えづらいのだろうか？

【実験6：水の粘度によって音は変わるか？②】

水：洗濯糊＝1：1の液体（A）と，洗濯糊のみの液体（B）を用意した。（A）では「ピ」音の音域は広

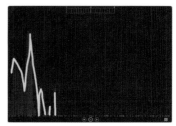

図7　水：洗濯糊＝1：1（A）

がり，2つの山に加え，少し離れたところにも波形が現れた（図7）。さらに粘度が増す（B）では「ピ」音の音量が小さくなり，2つの山だけが残り，離れた波形は現れなくなった。また，いずれも「チョン」音は出なかった。水面の揺れが小さく，飛沫も上がらなかったことが関係しているのではないかと思った。

🔲 感想と今後の課題

水滴音が「ピ」と「チョン」の2つに分かれることは，音声解析アプリを使ったからこそ発見できたことで，とても面白かった。「チョン」音の不安定さが聞こえ方に関わっていそうなので，アプリと一緒にビデオを使って音と水滴の様子をより詳しく観察してみたい。また，水に関わる多くの擬音語について調べてみたい。

作品について

　水滴が跳ねるときに発生する音を解析しようと取り組んだ作品です。2020年，丸山さんはミルククラウンの実験を行っていました。その際，同じように落とした1滴でもさまざまな音が発生することに気付き，興味を持ったことが今回の研究のきっかけとなったそうです。調べてみると，水に関わる音を表現する擬音語は数多く存在することも分かりました。水滴音はどのような条件で変わるのか，耳で聞き分けられないほどの微妙な違いを視覚化しようと音声解析のアプリケーションを導入したところから実験が始まります。

　ミルククラウンの実験中に新たな課題を見出した鋭い着眼点や，自然現象を客観的に捉えようと測定方法や解析方法を工夫した点は，高く評価できます。特に，水滴の音を擬音語の「ピ」と「チョン」に分けて波形を分類した試みはとてもユニークで，丸山さん自身が述べている通り，現象を視覚化したからこそ生まれた発想だといえるでしょう。また，仮説・実験・結果・考察の科学的な手順を心掛けて研究を進め，丁寧に根気よく取り組んでいる様子もよく伝わってきました。

　さて，音量も音程も比較的安定している「ピ」音に対して，「チョン」音は不安定で出ないこともあることから，丸山さんは「チョン」音の違いが耳で聞いたときに感じる微妙な違いと関係し，また「チョン」音の有無が着水後の水跳ねの有無と関係しているのではないかと考察しています。ビデオ撮影によって時間変化を捉えるアイデアも検討し，これから先もさらなる追究が期待されます。

　ところで，「キツネはなんて鳴くの？」という海外の歌が，2022年話題になりました。日本で「イヌ」「ニワトリ」の鳴き声を「ワン」「コケコッコー」と声に出したり文字で表したりすれば概ね認知されるはずですが，海外では日本人にはおおよそ馴染みのない表現となるようです。耳にインプットされる情報が同じでも，アウトプットが異なるのは興味深いことです。海外のどこかで「ピチョン」とは異なる水滴音の表現があるとすれば，その表現と観測される音の波形との関係はどう説明できるのでしょうか。丸山さんが強い関心を持った擬音語の世界は，想像以上に奥が深いのかもしれません。

中学生の部

オトシブミと数学

くろき しゅうせい
黒木 秋聖

[関西学院中学部 1年生]

オトシブミとは体長1cmにも満たない甲虫ですが、産卵のために木の葉を巻いて巧みに揺籃を作ります。その揺籃を昔の人が意中の人に拾わせるためにわざと落とした巻紙の手紙「落とし文」になぞらえて名付けられました。揺籃や揺籃に使われる葉のデータを分析してオトシブミの行動の不思議を解き明かしたいです。

Ⅰ 研究の概要

研究の動機・目的

　自宅の庭の風変りなコナラの葉に気づき，調べてみるとオトシブミが作った幼虫のための揺籃（ようらん）であることが分かった。コナラの葉は，付け根が二次曲線で表せる形をしているため，オトシブミが揺籃を作成する際の規則性は葉の形にあるのではないかと考えた。そこで，葉の付け根部分の開き具合を調べるために，付け根部分の輪郭の座標点をとり，葉の形を分析し，揺籃に使われた葉と使われなかった葉の違いを調べた。

実験方法

　揺籃に使われた葉の残りの部分 48 枚と揺籃に使われなかった葉 48 枚を採取した。揺籃に使われなかった葉はそれぞれの葉の付け根から先端までの直線距離の長さを測り，小さい順に並べた時の 33 ％，66 ％点を境界として 3 つのグループ small，medium，large に分類した。それぞれの葉に百の位でグループを区別できる識別番号をつけた。これらの葉をスキャンしてパーソナルコンピューターに画像ファイルを取り込んだ。ImageJ に葉の画像ファイルを読み込み，葉柄の付け根で 1 点，その左右に 6 または 7 点，計 14 点のピクセル座標を得た（図 1）。これを 1 枚ごとに別々の CSV ファイルに保存し，座標情報を RStudio で読み込んだ。読み込んだ座標データを，8 番目の座標（葉柄の付け根）が原点（0，0）となるように加工した。

　最後に，二次曲線を表す数式

$$y = a(x - b)^2 + c = ax^2 - 2abx + ab2 + c$$

をモデル式とし，R の関数 Im（formula = y ~ I(x^2) + x,data）を用いてそれぞれの葉の座標データにモデル式を当てはめ二次項の係数 a を求めた。この a の絶対値の分布を R の ggplot2 パッケージで可視化しグループごとに比較した。

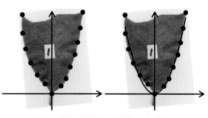

図 1　葉の輪郭の座標と二次曲線

結果

【揺籃に使われた葉と使われなかった葉の形の分析】

　すべての葉の輪郭の座標とモデル式を基に予測した葉の輪郭をプロットに示した。このプロットから，モデル式は葉の形をよく説明していることが確認できた。

【揺籃に使われた葉と使われなかった葉の a の値の分布のカーネル密度関数】

　モデル式で推定した a の値の分布をカーネル密度関数で表すと図 2 のグラフのようになり，揺籃に使われた葉と使われなかった葉では a の値の分布が異なっていた。

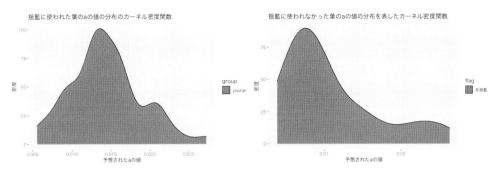

図2　aの値の分布のカーネル密度関数の比較（左：揺籃／右：非揺籃）

考察

① 揺籃に使われた葉，使われなかった葉のaの値の分布を比較したところ，揺籃に使われた葉のaの分布は揺籃に使われなかった葉のaの分布とは異なっていた。つまり，オトシブミが揺籃を作っている葉の付け根部分の形は今回集めた揺籃に使われなかった葉とは異なると考えられる（図3の左）。

② 揺籃に使われなかった葉を長さで区別して，揺籃に使われた葉とaの値の分布を比較した。揺籃に使われなかった葉のグループsmallと揺籃に使われた葉のaの値の分布が重複していた。つまり，葉の付け根の形の違いではなく葉の大きさの違いが関係している可能性がある（図3の右）。

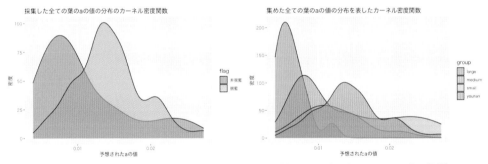

図3　aの値の分布のカーネル密度関数（左：揺籃と非揺籃の比較／右：集めたすべての葉の比較）

さらに研究したいこと

　来年からの研究では，aの値以外にも葉の形を表す他の座標や，葉の長さ，幅，面積などの情報を集め，オトシブミがどのような規則性を持って揺籃づくりをしているかについて継続して研究したい。

中学生の部

作品について

　黒木さんの作品では，オトシブミの揺籃に使われた葉と使われなかった葉の形を比較し，オトシブミがどのような規則性を持って揺籃を作っているのかを課題として探究を行いました。本作品の探究の課題は，コナラの葉を眺めていたところ，葉の付け根の部分が二次曲線で表せる形をしていることに気が付き，「揺籃の作成の規則性はオトシブミがコナラの葉の形を認識していることにあるのではないか」と疑問を抱いたことがきっかけとなったそうです。

　黒木さんは，オトシブミの研究を 2020 年から行っています。このような，他の人がなかなか思いつかないような独創的な発想やひらめきは，コナラの木から揺籃を採取して観察に勤しんだり，これまでに学習してきた数学的な見方や考え方を日常生活における様々な事物や事象に当てはめてみたりといったような，黒木さん自身がこれまでに挑戦したり，努力を積み重ねてきたことから生まれてくるものだと思います。

　次に，黒木さんは，実験と観察の方法として，揺籃に使われた葉と使われなかった葉の合計 96 枚の葉の輪郭を，座標とモデル式を基に予測しました。このように，数多くのデータを採取し，カーネル密度関数などの中学校 1 年生レベルを超えた数学の知識を駆使してデータ処理を行っています。また，葉の付け根の形だけでなく，葉の大きさと a の値との比較を散布図を用いて行うなど，一つの結果を複数の観点から抜かりなく考察している点は大変評価できます。

　最終的に，考察において，揺籃に使われた葉の a の値は，揺籃に使われなかった葉の a の値と比べて大きい方に分布していることから，「オトシブミは揺籃のための葉を無作為に選んでいるわけでない」ことを発見しました。これだけでも大きな発見ではありますが，黒木さんは，オトシブミが揺籃づくりの前の歩行では，葉の付け根部分だけではなく葉の全体を歩き回る複雑な歩行をしていることから，「a の値は葉全体の長さや，葉のその他の大きさの指標（幅，面積など）の影響を受けているかもしれない」と新たな仮説を見出しています。

　さらに，この仮説を検証するためには，揺籃づくりが始まる前に枝から切り離す前の葉のイメージを数多く取得し，印をつけて区別してから実験を行うことで，オトシブミの嗜好性がより具体的に把握できることも提案していて，今後の展望が大変楽しみな研究内容です。ぜひ，オトシブミの葉の嗜好性について，様々な可能性の中から，正しい結論が導き出せることを期待しています。

茨城県のトンボの群集構造を決める水辺の環境要因

トンボの研究　パート12

井上 善超
（いのうえ よしき）

[つくば市立手代木中学校 2年生]

速く飛ぶトンボを採るのは難しく、何度も逃がして悔しい思いをしました。それでも、トンボをネットインした時の高揚感がたまらなくて、採取を続けることができました。

10年間、少しずつトンボの数が減ってきたように感じます。どうにか食い止めたいと願い、出会えたトンボたちに感謝しながら、一歩一歩研究を進めました。

Ⅰ 研究の概要

◻ 研究の動機・目的

　トンボは羽化後，移動と分散を繰り返し，水辺に戻るが，羽化した水域とは限らない。トンボが生息地を選択する環境要因を探求したいと考えた。

◻ 方法

（1）トンボおよびヤゴと羽化殻の調査　茨城県内211ヶ所にて採取（継続調査10年目）。

（2）環境の調査

・採取地点を中心とした600m四方をGoogle Mapの航空写真上で25mメッシュに区切り，水域面積，川幅，土地利用および植生（森林，水田，畑，コンクリート，住宅地・工場，草地，湿地，ソーラーパネル，荒地・その他）を読み取り，その割合を求めた。また，標高は地理院地図から求めた。

・採取地点で採水し，化学的成分（溶存有機炭素，Na^+，K^+，Ca^{2+}，Mg^{2+}，Cl^-，Al，Si，Fe，P，S）の濃度を測定した。

（3）解析方法

・採取地点の環境要素と採取地点のトンボとヤゴ群集（種構成や採取個体数など）の相関を見るために，除歪対応分析（DCA）を行った。

・DCAにより採取地点と環境要素との相関係数をそれぞれ計算し，相関の高い環境要因を求めた。これらを軸として採取したトンボとヤゴ群集をプロットし，群集構造を支配している環境要因が何かを考察した。

◻ 結果と考察

・トンボおよびヤゴと羽化殻の調査

　トンボ種は初採取の4種を含め，10年間で79種を確認した。ヤゴ種および羽化殻は初採取の4種を含め，10年間で61種を確認した。

・採取地点とトンボ種の対応分析

　トンボ種と採取地点の散布図（図1）より，河川の中流域，源流域のような採取地点は他と離れた座標に位置し，池や湿地などはすべて原点近くに集まった。ヤゴでも同様の傾向が見られ，河川という環境がトンボとヤゴの群集構造に大きな影響を与えていることが示唆された。

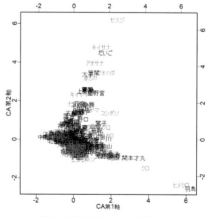

図1　採取地点とトンボ群集の
　　　対応分析による座標付け

中
学
生
の
部

・止水性（池，湿地などに生息する）トンボおよびヤゴ種の群集構造を決める環境要因

　DCAで分かった相関の高い環境要素を第1軸，第2軸として止水性トンボ種，ヤゴ種をそれぞれプロットした（表1，図2）。止水性のトンボ，ヤゴ両群集において最も高く相関が得られた環境変数は周辺600m内の森林の面積であった。トンボにとって水域に隣接する森林はえさ場，ねぐらなどを提供していると考えられる。

表1　DCA第1,2,3軸と有意な相関を示した環境要素
　　　（止水性・トンボ種）

トンボ	p-value	Kendall(τ)
DCA第1軸		
(1) 周辺600m内の森林の面積	0.0001	0.4691
(2) 周辺600m内のコンクリートの面積	0.0003	-0.4230
(3) 周辺600m内の草地の面積	0.0005	-0.4132
(4) 周辺600m内の住宅地および工場の面積	0.0010	-0.3859
(5) 標高	0.0013	0.3390
(6) 周辺600m内の湿地の面積	0.0039	0.2302
DCA第2軸		
(1) 浮葉植物の種類数	0.0006	-0.2854
(2) 浮葉植物の被覆面積	0.0105	-0.2084
DCA第3軸		
(1) 池などの水域面積	0.0004	-0.2786
(2) 抽水植物の種類数	0.0005	-0.2807
(3) 抽水植物の被覆面積	0.0050	-0.2216

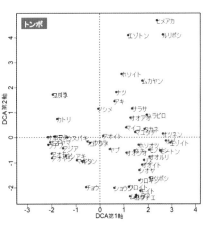

図2　種スコアの除歪対応分析による
　　　座標付け（止水性・トンボ種）

・流水性（河川に生息する）トンボおよびヤゴ種の群集構造を決める環境要因

　流水性のヤゴ種において，選ばれた環境変数は河川の水域面積や川幅などとなり，トンボ種とは必ずしも適合しなかった。また，トンボは住宅地および工場の面積と，ヤゴはコンクリートの面積と強い相関があり，都市化の影響を強く受けていることが示唆された。

・化学成分や標高の影響

　環境水中の化学成分において，止水性のヤゴ種ではFe，Al，Pなど，流水性のヤゴ種ではCa^{2+}，Mg^{2+}，Sなどの濃度が相関の有意な環境変数として選ばれ，止水性と流水性とで選ばれた変数が一致しなかった。

　標高は水域周辺の勾配（こうばい）を左右しており，気温や日射量の違いなどの影響が考えられ，流水性トンボおよびヤゴ種だけでなく止水性トンボおよびヤゴ種でも高い相関があったことから，重要な要因であることがうかがえた。

口 **感想**

　大きな空間スケールで環境水を分析して得られたデータが，観察と採取だけでは得られなかったトンボとヤゴの隠れた情報を担うことが分かって嬉（うれ）しかった。

中学生の部

作品について

　　井上さんは長年，茨城県内でトンボの調査を続けています。これまでの10年間のデータを用いて，統計的解析を行い，より客観的にトンボの生息環境について調べることができています。時間をかけた採取と観察，膨大なデータの整理と，根気と研究対象への愛情をかけた作品であることが分かります。

　　トンボが生息するためにはヤゴ（幼生）としてすごす水辺と，トンボ（成虫）としてすごす陸地が必要です。そのため，トンボの生息地には水域と陸域のそれぞれの環境とそのつながりを調べる必要があります。

　　井上さんはこれまでの採取の経験から，水辺の近くの森林の重要性を感覚的には気付いていたようですが，今回の研究結果のようにそれらが数値や図表としてあらわされることで，より明確になっています。また，感覚的には気付きにくい水質成分にも注目することができました。水は山や森から流れてきますから，これらは上流部の地質や土壌とも関係してきます。その土地特有の種にはこのような細かな要素が影響しているのかもしれません。生態系という広い視点とそれぞれの種や生息地の特徴に注目した細やかな視点の両方が，トンボを取り巻く世界を見るためには大切です。

　　井上さんの考察からも，トンボの生息域に住宅地やコンクリートの影響が大きいことが分かります。授賞式の際に発表されていましたが，このような生物調査・研究によって，生物の多様性をどのようにして保全していくのかだけでなく，生息域として危険な状況にあるような場所を推定し，予防策を講じるようなこともできるのではないでしょうか。

　　今，生物の多様性は急速に奪われていると言われています。このように積極的に多様性を守る姿勢が大事になってくることにも気づかせてくれる作品です。

2022

ミルククラウンを探る

～綺麗なミルククラウンの条件とは!?～ Part2

坂﨑 希実
（さかざき のぞみ）
［多治見市立小泉中学校 3年生］

ミルククラウン現象について研究をしました。
ミルククラウン現象を、誰でも簡単に再現することが
できる法則、Beautiful Milk Crown（BMC）を作り
ました。
昼間にミルククラウンの実験と撮影、夜は画像の解
析を毎日繰り返し、集めたデータをまとめる事がとて
も大変でした。

要旨・序論

綺麗(きれい)なミルククラウンを形成する各要素を明確にし，影響を及ぼす割合を加味した法則（Beautiful Milk Crown:BMC）を作ることで，誰でも簡単に再現できると考えた。

本論

1．実験の基本手順（図 1）

① 容器に液を注ぎ，液面を作る。

② 液面に液滴を落とす。各条件で 10 回ずつ液滴を落とす。

③ スマートフォンで，液滴が液面に落ちる瞬間を撮影する。

④ 撮影した液面の状態を評価する。容器，注ぐ液，液滴，液滴を落とす高さ，容器に注ぐ液の深さ等の条件を変更し，実験を行う。

図 1　実験の様子

2．実験に使った物

・液体：牛乳・水・牛乳:水＝1:1の混合液

・容器：シャーレ大（直径 120 mm）・中（直径 90 mm）・小（直径 75 mm）

・液滴を落とす道具：マイクロピペット（図 2）

・スマートフォン：スロー撮影機能（1/1000 秒）

・メジャー

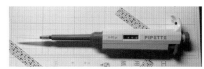

図 2　マイクロピペット

・液滴を基準の高さから，容器の中央に落とす治具（タワー 2 型）

3．ミルククラウンの分類（略）

実験①：水・牛乳・混合の液面に，それぞれ水・牛乳・混合の液滴を落とす

落とす高さを 70 cm から 110 cm まで 10 cm 間隔で変化させると，牛乳に牛乳を高さ 110 cm から落とした場合の評価点が最も高かった（平均 5.70）。僅かな差で，牛乳に水を高さ 110 cm から落とした場合が 2 番目となった（平均 5.60）。評価点が 6 以上の回数は，牛乳に水を落とした場合が 21 回で最も多かった。

実験②：容器（シャーレ大・中・小）を変えて，高さ 110 cm から液滴を落とす

それぞれの容器に注いだ牛乳に，牛乳を 1 滴落とす。液面の深さを 0.5 cm，1.0 cm，1.5 cm と変化させると，シャーレ大の深さ 0.5 cm の評価点が最も高く（平均 5.90），評価点が 6 以上の回数も 18 回で最も多かった（図 3）。

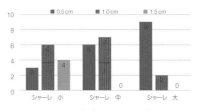

図 3　評価点 6 以上の回数

🔳実験③：液体の温度を変えて，高さ110 cmから液滴を落とす

容器（シャーレ中）に注いだ牛乳（深さ1.0 cm）に，牛乳を1滴落とす。牛乳の温度を4℃，20℃（常温），50℃と変化させると，20℃の評価点が最も高く（平均5.70），2番目は50℃だった（平均5.60）。

🔳実験①〜③の結果より，綺麗なミルククラウンができる法則を探る

牛乳の液滴と牛乳の液面について，「液滴を落とす高さ」「液面の深さ」「容器の大きさ」「液体の温度」の各変化量が，評価点にどのように関係している関数を作成する。

作成した各関数に変化量を入力し，算出された値の和をBMC値とする（図4・図5）。

・評価点$_1$：液滴を落とす高さx_1（70 cm ≦ x_1 ≦ 110 cm）

・評価点$_2$：受ける液面の深さx_2（0.5 cm ≦ x_2 ≦ 1.5 cm）

・評価点$_3$：容器の大きさx_3（75 mm ≦ x_3 ≦ 120 mm）

・評価点$_4$：液体の温度Kn（n = 0 ℃，20 ℃，50 ℃）

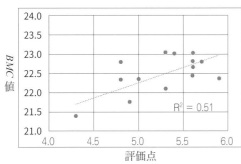

図4　各測定結果とBMCの算出値の比較
BMC＝評価点$_1$＋評価点$_2$＋評価点$_3$＋評価点$_4$

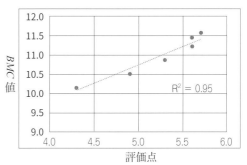

図5　各測定結果とBMCの算出値の比較
BMC＝評価点$_1$＋評価点$_4$

🔳結論と考察

実験データから，牛乳を牛乳に落とした場合のBMCは，次のようになった。

$$BMC = (0.035x_1 + 2.01) + (-0.02x_2 + 5.767) + (-0.015x_3 + 6.836) + 5.70\,Kn$$

法則と実験値との決定係数は，$R^2 = 0.51$である。一方，高さx_1と液体の温度Knは要因として大きいため，この2つのみで算出すると，次のようになった。

$$BMC = (0.035x_1 + 2.01) + 5.70\,Kn \qquad R^2 = 0.95$$

🔳感想

ミルククラウンを扱った論文を理解することや，それを参考に公式を作ることはとても難しかった。データ収集も大変だったが，グラフ化した結果を考察するのは楽しく，公式を作る為の条件を少しだけ見つけることができた。完璧な目標達成には至らなかったが，さらに深く追究することで，工業技術の発展に貢献できたら嬉しい。

作品について

　ミルクティーを作る際にできたミルククラウンに興味を持ったことがきっかけとなり，「綺麗なミルククラウンを簡単に再現する方法」を実験的に追究した作品です。中学生では無理かもしれないと不安を抱きながらも，自分で法則を導こうと挑戦した姿勢はとても素晴らしく，研究の進め方も独創性にあふれています。

　1つ目は，「綺麗」の基準を決めたことです。下の表は「研究の概要」では省略した2021年の成果ですが，坂﨑さんは観察されるミルククラウンの形状を6つに分類し，独自の評価点を導入しました。そして，2つ目は，評価点に与える4つの要素を見出したことです。これら6段階の評価点と4つの要素との関係について，様々な条件制御を行って根気よく実験に取り組み，その結果を解析して法則性を見出した成果は高く評価できます。

分類	評価点	例	分類	評価点	例
A＋	6	綺麗なクラウン！！	B＋	2	跳ねるこけしになる。
A（＋）	5	少し形の崩れたクラウン	B	1	跳ねるこけしにならない
A	4	クラウンの形だが先端がない	C	0	跳ねない
B＋＋	3	クラウンの様なものができる			

　ただ，これで坂﨑さんは満足しているわけではないようです。評価点の基準が主観的だったこと，液面の深さ・容器の大きさ・液体の温度の3つの要素についてさらに詳細な検証が必要なことなど，自ら気づいた問題点を克服し，今後の発展的・応用的な取り組みにつながることを期待したいと思います。

マクスウェルのこまと歳差運動

大橋 柚佳
（おおはし ゆずか）

［静岡大学教育学部附属浜松中学校 3年生］

マクスウェルのこまや歳差運動を調べるため、紙皿とボルトで重心の位置を変えられるこまを作りました。回転の様子を撮影した動画を加工して、歳差運動とこまの角速度を調べました。また、こま本体の紙皿を半球とみなして、歳差運動からこまの角速度を計算したところ、こまの角速度の予測値は、実験値に近くなりました。

Ⅰ 研究の概要

研究の動機

　小学校の頃から，扇風機，フィギュアスケート，ブーメランなどの回転運動の研究を続ける中，「歳差運動」について知りたいと思い，下表の実験を行うことにした。

	確かめたいこと	予測すること
マクスウェルのこまについて	実際に歳差運動をしないこまが存在するか確かめる【実験Ⅰ】	重心・大きさ・重さの関係から，いろいろなこまの重心の位置を予測する【実験Ⅲ】
歳差運動について	こまの種類（重心の位置）と回転方向の関係を確かめる【実験Ⅰ】	歳差運動の角速度から，こまの角速度（回転速度）を予測する【実験Ⅱ】

歳差運動について

　傾いた回転軸が，その傾きを保ちながら旋回する運動のこと。

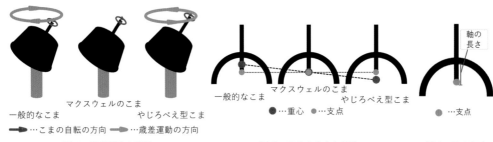

図1　歳差運動の様子　　　　　　　図2　こまの支点と重心　　　　図3　軸の長さ

実験準備

　紙皿（深さ3cm，大小2種）の中心にボルト（M4，長さ5cm）を通し，ナットとワッシャーで紙皿を挟むように固定した。紙皿の淵(ふち)にビニールテープを巻き，その量で重心を変化させる。歳差運動をタブレットで撮影し，回転している時間を計測した。

図4　こま（左：外側，右：内側）

実験Ⅰ

　軸の長さを調整し，こまの重心の位置と回転方向にはどのような関係があるのか調べた。その結果，こまを時計回りに回したとき，重心が支点より上だと歳差運動も時

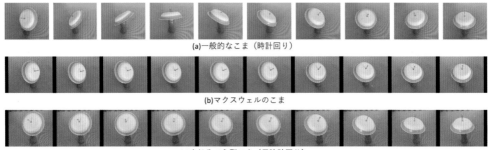

(a)一般的なこま（時計回り）

(b)マクスウェルのこま

(c)やじろべえ型こま（反時計回り）

図5　こまの歳差運動の様子

計回りになり，重心よりも支点が上だと歳差運動は反時計回りになった。また，支点と重心が一致していると歳差運動はしないことが分かった。また，歳差運動の角速度が増加するとこまの角速度は減少することも分かった。

🔲 実験Ⅱ

　歳差運動の回転速度から，こまの回転速度を予測した。その結果，式を用いた予測値は，実験値より小さくなった。紙皿を半球とみなし，半径を 8.0 cm として計算をしたことが影響していると考え，修正した値から逆算し，半径を 6.8 cm とすると実験値とよく一致することが分かった（図 6）。

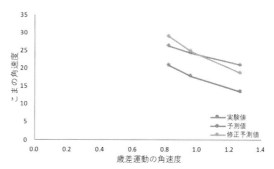

図 6　歳差運動の角速度とこま（軸）の角速度

🔲 実験Ⅲ

　重さの異なるこまを 6 つ作製し，こまの重さと軸の長さの関係を調べた。この関係から，さらに重いこまの重心を予測した。その結果，小さなこまは予測値とほぼ一致したが，大きなこまは予測値から外れた（図 7）。

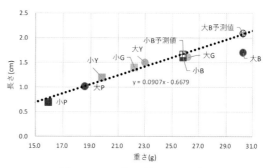

図 7　こまの重さと軸の長さの関係

🔲 まとめ・感想

【実験Ⅰ，Ⅲ】支点と重心が一致しているマクスウェルのこまの重さと重心の位置の関係を調べ，重さが分かれば，こまの重心を予測できることが分かった。

【実験Ⅱ】歳差運動の回転速度とこまの回転速度は反比例の関係にあり，軸の傾きは関係がないことを実験で確認できた。

【反省点】紙皿の中心は，重心を測る方法と同様に，刺繍糸で吊ればより正確になったのではないか。また，こまを手で回したので，結果のばらつきが大きくなってしまった。再現性を高めるためモーターで回そうとしたが，うまくいかなかった。

【その他】マクスウェルのこまを作製し，タブレットなどを利用して歳差運動をしないことを確認できてよかった。昨年研究したブーメランの回転はこまの軸の回転であり，ブーメランの軸がずれるのはこまの軸がずれて回転する歳差運動だと分かった。しかし，まだまだ分からないことが多いので，これからも勉強を続けたい。

中学生の部

作品について

　大橋さんは，小学生の頃から扇風機，フィギュアスケート，ブーメランなど，「こま」だけでなく，いろいろな回転運動に強い関心があり，様々な実験に取り組んできました。今回の作品は，昨年調べたブーメランの運動に関係があると参考文献に書かれてあった，「歳差運動」に興味を抱いたことがきっかけとなっています。

　「歳差運動」とはどんな運動でしょうか。一般的な「こま」がその軸を中心に回転するとき，同時に軸を含む「こま」全体が首を回すように動くのを見たことがあると思います。この首を回すような動きが「歳差運動」の身近な例です。軸の上端だけに注目すると，その上端がある点を中心に円運動しているように見え，「歳差運動」にも周期があります。地球も「歳差運動」をしていて，その周期は約 26,000 年ということを知っている人もいるでしょう。

　調べているうちに，「歳差運動」をしない「マクスウェルのこま」と呼ばれる「こま」に出会います。一般的な「こま」とどう違うのか，さらに関心が高まったことが想像できます。テーマを決めた大橋さんは，参考文献をたよりに，高校の教科書に出てくる角速度・角運動量や，高校の教科書でも扱わない慣性モーメントなどの物理量について勉強し，それら物理量の関係を表す式にたどり着きます。そして，得られた知識を基に作ったのが，作品に出てくる「こま」です。大きな特徴は，なんといってもボルトとナット，ワッシャーを用いて，重心と支点（軸の下端）の位置関係を調整できることでしょう。

　この自作の「こま」を用いて，「歳差運動」に影響を与える物理量を上手にコントロールしながら，定量的に現象を捉えようと実験を行ったことは，高く評価できます。また，タブレットを用いた分析手法にも工夫がみられることや，図を多用しながら丁寧に実験結果がまとめられていることも，この作品の優れている点といえるでしょう。

　さて，大橋さんは，昨年調べたブーメランの運動と「歳差運動」がどう関係するのか，まだはっきりと分からないことが多いと締めくくっています。さらに発展した取り組みとその成果を楽しみにしたいと思います。

よく飛ぶ紙飛行機IX

～滑空生物の翼と飛ぶ力～

三宅 遼空
（みやけ はるく）

[静岡大学教育学部附属浜松中学校 3年生]

紙飛行機をよく飛ばすには、どうしたらいいのか？ 小1から研究を続けてきました。
この研究では、紙飛行機の飛び方である「滑空」に着目し、滑空する飛行生物の翼形状について調べることで「よく飛ぶ紙飛行機」のヒントになるのではないかと思い、様々な滑空生物の翼を模倣した紙飛行機を作り、その飛行性能の違いについて調査しました。

Ｉ 研究の概要

研究の動機・目的

　紙飛行機をよく飛ばすにはどうしたらいいのか，小学１年生から８年間研究を続けてきた。昨年は，飛行生物の翼端形状の違いに注目し，それを模倣した紙飛行機を作り，自作の風洞装置で空気の流れを可視化しながらその役割，性能の違いについて研究した。今年は，紙飛行機の飛び方である滑空に着目し，滑空生物の翼の飛行性能について調査し，よく飛ぶ紙飛行機のヒミツを探ることを目的とする。

研究１：滑空生物の翼を模倣した紙飛行機における揚力・抗力，揚抗比の違い

　滑空生物の翼形状を模倣した紙飛行機を作成し，翼の形と大きさ（図1），翼の断面形状（平形状，M字形状，W字形状），翼の角度（迎角：０度〜30度まで５度ごとに変化させる）を変数として紙飛行機に加わる揚力・抗力の大きさを測定した。その際，自作の揚力・抗力測定装置（図2）を使用した。

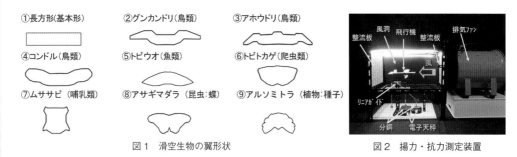

図1　滑空生物の翼形状

図2　揚力・抗力測定装置

　次に，測定した揚力・抗力の大きさから，翼端形状と揚抗比（揚力／抗力）の関係をグラフ（図3）にまとめた。なお，揚抗比が大きい翼ほど性能がよいとされている。グラフより，翼の形と大きさにおいて翼幅と翼弦長，翼端が前方に突き出た形のもの（アサギマダラ，コンドル）が，翼の角度（迎角）において15度のときに，揚抗比が１番大きいことが分かった。

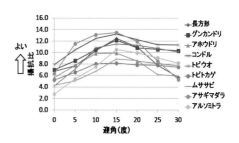

図3　M字形状と揚抗比

研究２：滑空生物の翼を模倣した紙飛行機における空気の流れ方の違い

　研究１で作成した紙飛行機を使用して，研究１と同じ変数に着目して翼に当たる風の流れを観察した。その際，自作の風洞実験装置（図4）を使用した。

　観察した結果（図5），翼の角度（迎角）が大きくなると，翼周りの煙の塊の大きさに変化が見られた。また，研究１で揚抗比の値が大きかった紙飛行機では，翼端で

中学生の部

の煙の様子において他では見られない共通した特徴が見られた。さらに、M字やW字の断面形状では、凹凸の溝に沿って煙がスムーズに流れている様子が見られた。

　これらの結果より、観察できる煙の様子は揚抗比の違いを説明できる可能性が示唆された。また、M字やW字の翼断面形状は飛行性能を安定させる可能性が示唆された。

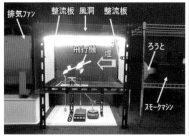

図4　風洞実験装置

断面形状	迎角		
	0度	15度	30度
M ∧∧	・翼の凹凸に沿ってスムーズに流れた	・翼先端でできた小さな渦が翼の凹凸に沿って流れた ・翼後方で上の渦を巻き込みながら流れた ・平に比べ煙の塊が多い	・翼先端でできた大きな渦が翼の凹凸に沿って流れた ・翼後方で上の渦を巻き込みながら流れた ・平に比べ煙の塊が多い

図5　M字形状、トビウオの空気の流れ方

🔲 研究3：滑空生物の翼を模倣した紙飛行機の飛距離の違い

　研究1で作成した紙飛行機を使用して、どの紙飛行機が一番飛ぶか調査した。その際、自作の発射台（図6）を使用し発射角度等飛ばし方を一定にした。

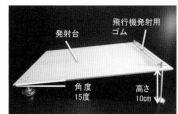

図6　発射台

　調査した結果、研究1で揚抗比の値が大きかった紙飛行機が一番飛ぶという予想を概ね支持する結果が得られた。しかし、発射時の推進力の大きさによる影響か、発射してすぐに浮き上がったり、空中で旋回したりする紙飛行機が散見された。

🔲 研究のまとめ

①研究1より、ある程度の翼幅と翼弦長があり翼端が前方に突き出た特徴を持った翼形状で、翼の角度（迎角）が15度のとき、1番飛行特性が良いことが分かった。

②研究2に加え、飛行生物は滑空時にガル翼のような形状で飛んでいることより、翼断面形状がM字やW字であるとき、飛行性能が安定する可能性が示唆された。

③研究3より、発射時の推進力が強すぎる場合においても最適な飛行性能を得るためには、飛び立つときと滑空するときとで翼の断面形状や角度（迎角）を変化させる必要がある可能性が示唆された。

中学生の部

作品について

　小学校1年生から8年間継続して行ってきた研究を，さらに発展させて今年の研究が行われています。よく飛ぶ紙飛行機のヒミツをただ探索的に探るのではなく，飛行生物に着目して研究が行われている点が，よい科学の目を働かせていると言えます。三宅さんは，紙飛行機がよく飛ぶためには，より長い時間空中を滑空する必要があることに気付き，滑空する飛行生物の翼の飛行特性を調査し，よく飛ぶ紙飛行機のヒミツを探ることを目的として，今年の研究が始まりました。

　この研究では，翼の形や大きさや翼の断面形状，翼の角度（迎角）を変数として，飛行特性を明らかにしようとしています。その際，揚力・抗力と揚抗比，空気の流れ，紙飛行機の飛行距離を調査しています。今回の研究で素晴らしいのは，三宅さんが調査するために必要とする実験器具を自作したその技術と，自作した実験器具で研究を行おうとしたその姿勢です。自分が知りたいと思う事象の本質を探るために，器具を自作して追い続ける姿勢は，本当に素晴らしいものです。

　また，空気の流れという目に見えない事象を追い求めようとした姿勢も賞賛されるべきものです。自作の風洞実験装置で観察できた煙の様子から，研究1で得られた飛行特性と飛行生物の翼間の因果関係を支持する仮説を生み出して，実験結果から導き出した自分の主張をより強固なものにしている姿は，科学者が実際に行う営み同然です。素晴らしい論の展開ができましたね。

　この研究では，複数の実験結果から言えることを整理することの難しさを実感したのではないでしょうか。研究1・3では，実際に数値として結果が出るので結論が出しやすかったと思います。しかし，研究2では得られた煙の様子という抽象的な結果を，研究1で得られた知見にどのように結びつけるのかが難しかったと思います。また，研究1・2から得られた知見を基に研究3の予想を立てましたが，予想通りにいかない事象にも遭遇して戸惑ったのではないでしょうか。複数の実験結果から言えることを整理することはとても難しいことです。それぞれの研究から言えることを箇条書きでまとめるのではなく，3つの研究を統合して言えることを，三宅さん自身の創造力を存分に発揮させて，客観的に見て多くの人が納得できるようにまとめることができると，研究がさらによいものになります。ぜひ，今後参考にしてください。

　今後の研究では，何に着目してよく飛ぶ紙飛行機のヒミツを探るのでしょうか。三宅さんの今後の研究を期待しています。

ドクダミの
独特な匂いに迫る
～デカノイルアセトアルデヒドが与えるアレロパシー効果とは～

廖 執泰
りょう しつたい

［茨城県立並木中等教育学校 1年生］

僕は身近に生えているドクダミの独特な匂いから本研究を始めました。これについて調べるとドクダミにはアレロパシー効果があることを知りました。このことをもとに実験を重ねると揮散・溶脱・浸出のルートを通じて作用することが分かりました。大変だったことは揮散の効果を確かめるときに人工気象器に入れずに気温などの条件をそろえることでした。

I 研究の概要

研究の動機・目的

　ドクダミのにおいはデカノイルアセトアルデヒドという物質によるもので，これは，殺菌効果や一部の植物に対してアレロパシー効果を持つことが知られている。今回は，レタスに対してどのような効果があるのかを調べることにした。

実験方法

　デカノイルアセトアルデヒドの影響は，大気中へ気体成分が拡散する（揮散），雨などによって葉から溶け出す（溶脱），植物自身から染み出す（浸出）の3通りあると考え（図1），いずれもドクダミから遠いほど影響が小さいと仮定して実験を計画して行った。

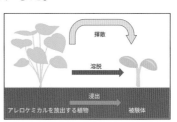

図1　揮散，溶脱，浸出

【実験1】浸出や溶脱による影響（サンドイッチ法）

　1%寒天にドクダミの葉をはさみ（図2），レタスの種子を寒天上にまいて，葉の先端から根の先端の長さを調べる。

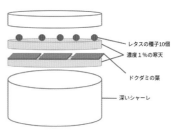

図2　サンドイッチ法

【実験2】葉からの揮散による影響

　キッチンペーパーの中心にドクダミの葉を置き，中心から1.5 cmごと6 cmまで計32個のレタス種子を放射状にまいて（図3），種子の発芽，葉の先端から根の先端の長さを調べる。

【実験3】ドクダミの葉の抽出液の影響（図3）

　ドクダミの葉1 gに水9 mLを入れてすりつぶした抽出液をろ紙に染みこませ，ペーパーの中心に置き，実験2と同様に，種子の成長状況を調べる。

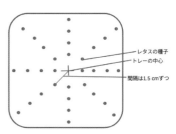

図3　実験2～4

【実験4】ドクダミ抽出液の濃度の違いによる影響（図3）

　抽出液濃度を変えて，実験3と同様に種子の成長状況を調べる。

実験と結果

【実験1：浸出や溶脱による影響（サンドイッチ法）】

〈結果〉最初の2，3日はドクダミの葉を置いた方がよく育っていたが，だんだんと差がなくなり，10日後に表1および図4のような結果になった。

図4　10日後の様子

表1　10日後の長さ（mm）

	サンプル1	サンプル2	平均
ドクダミの葉を置いたもの	67.4	59.7	63.5
ドクダミの葉を置かなかったもの	53.9	51.7	52.8

【実験2：葉からの揮散による影響】

図5 左：中心に葉／中央：蒸留水（ろ紙）／右：抽出液（ろ紙）

表2 実験2の結果

中心からの距離（mm）	葉を置いた（平均）	サンプル1	サンプル2	蒸留水
15	47.6	45.6	49.6	18.0
30	44.1	45.8	42.3	16.3
45	41.2	38.8	43.6	16.4
60	40.8	39.4	42.1	19.3

〈結果〉葉を置いた方が，蒸留水よりも成長していた。また，中心に近いほど成長している。（図5左）

【実験3：ドクダミの葉の抽出液成分の影響】

〈結果〉中心に近いほど成長している。実験2（葉）より成長しない。（図5右）

表3 実験3の結果

中心からの距離（mm）	ディスクを置いた（平均）	サンプル1	サンプル2	蒸留水
15	39.3	39.3	39.4	32.8
30	36.9	35.0	38.8	33.7
45	35.3	39.0	31.6	32.9
60	33.1	31.6	34.7	32.4

【実験4：ドクダミ抽出液の濃度の違いによる影響】

〈結果〉抽出液の濃度が低いほど成長した長さが短い。

表4 実験4の結果

中心からの距離（mm）	濃度100%	濃度80%	濃度60%	濃度40%	濃度20%	濃度0%
15	50.9	44.5	41.9	39.7	39.1	35.2
30	44.3	41.1	39.6	37.5	36.5	35.3
45	42.3	39.0	39.1	36.1	37.3	35.0
60	41.2	38.5	37.1	35.3	35.1	34.8

◻ 考察

①実験1より，ドクダミはレタスに対して成長を促進する作用があると考えられる。また，葉を置いた最初の2，3日に成長が強く促進されたことから，ドクダミの葉に含まれるデカノイルアセトアルデヒドは，葉を取ってから揮発していき，だんだんと植物に対する影響が弱くなると考えられる。

②実験2より，デカノイルアセトアルデヒドは，揮散によって，レタスの成長を促進すると考えられる。実験3より，抽出液の成分も，揮散によって，レタスの成長を促進すると考えられる。

③実験4より，抽出液濃度が低いほどレタスの成長への影響が少なくなると言える。

④以上から，ドクダミに含まれるデカノイルアセトアルデヒドは，揮散・溶脱・浸出のいずれにおいても，レタスの成長を促進する効果があると考えられる。

◻ さらに研究したいこと

ドクダミの葉を取ってからの日数を変えて同様の実験を行ってみたり，葉以外の部分，例えば根を使った実験（根に含まれる成分の影響）も調べてみたりしたい。

中学生の部

作品について

　本研究は，身近にあるドクダミの独特のにおいには，どのような効果があるのかという疑問から始まっています。植物のアレロパシーの効果やドクダミのにおいの原因物質であるデカノイルアセトアルデヒドという物質の存在などについて調べたことを基に，課題を解決するための研究の仕方を考え，実験方法も工夫して行っています。

　アレロパシーとは，植物が放出する化学物質が，ほかの植物や虫に対して殺菌や成長・発芽の抑制，忌避作用などにより阻害的に働いたり，生長を促進したりするなど，何らかの作用をもたらすことを言います。ドクダミの茎葉の特徴的なにおいは，デカノイルアセトアルデヒドという揮発性の油や特有なにおいのあるアルデヒドに由来しています。アレロパシー効果を考えると，成長の抑制効果，動物や昆虫の忌避作用を考えがちですが，レタスの種子を使って，発芽した芽生えへの影響を調べる実験を選び，成長を促進する効果があることを見いだしています。しかも，いくつかの実験を組み合わせて，その効果の信頼性を高めています。この効果は，植物にとってはどのような意味があるのか，ドクダミ（ドクダミ科）とレタス（キク科）との関係はあるのか，他の植物への影響はどうなのかなど，今後の研究の成果を知りたいところです。

　揮散や溶脱，浸出の違いはあるのか，行っている実験によって違いを正しく設定できているのかなど，吟味すべきことが残されており，仮説の検証方法やまとめ方，表現の方法などにも課題がありますが，中学1年生という時期を考えると，今後の追究の仕方や研究の深まりに大いに期待したいと思います。

　この研究の素晴らしいところは，自分で考えた仮説を検証するために，自分で考えた方法を用いて，明らかな結果を得たというところです。思うようにいかない失敗続きの研究にも追究すべき重要なヒントは隠されています。明らかな実験の結果を得ることは，自由研究を進めたり，探究を継続していく喜びや自信となり，大きなエネルギーとなります。この作品を読んだ方々も，同じような実験を試み，実験結果の確かさを味わっていただきたいと思います。

エノキワタアブラムシにおけるワタの復活条件について

伊藤 幸為
（いとう　ゆきなり）

［武蔵高等学校中学校 1年生］

この論文を書くにあたり、自分はエノキワタアブラムシのワタがどの条件下で再生するのかについて注目して、実験を行った。
実験時のアブラムシの取り扱いは細心の注意が必要だった。
また、仮説や考察は思い浮かんでいたが、その理由や検証方法の妥当性についてわかりやすく書いたり、説明したりする事が難しかった。

Ⅰ　研究の概要

研究の動機・目的

　自宅近くのエノキに白いワタ状のエノキワタアブラ
ムシ（図1）がいた。文献によると，ワタ状のものは
ロウ物質で，アブラムシが出す甘露をはじき，体にカ
ビが生えることを防ぐと分かった。しかし，ワタので
き方に関する詳しい文献を見つけられなかったため，
自分で調べてみようと思った。

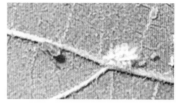

図1　エノキワタアブラムシ（右：ワタ
が復活した個体／左：ワタを取っ
た個体）

方法

　様々な条件下でワタのでき方を確認する。アブラムシの隔離にはタッパーを使用。
ワタは化粧ブラシで除去する。できたワタは量や形状でレベル分けをする（図2）。

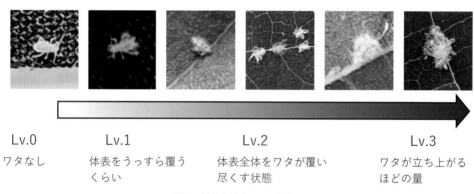

Lv.0
ワタなし

Lv.1
体表をうっすら覆う
くらい

Lv.2
体表全体をワタが覆い
尽くす状態

Lv.3
ワタが立ち上がる
ほどの量

図2　ワタの量のレベル分け

【実験1：ワタを取っても再びワタが復活するのか】

　樹木上にいる個体は，ワタを取っても翌日にはワタが復活した。採取したエノキの
葉にワタを取った個体を乗せておくと，翌日にはワタが復活したが，かわいた布の上
に乗せた個体のワタは復活していなかった。

【実験2：糖分でワタが復活するのか】

　アブラムシが吸汁する師管液の主成分は糖分であるため，ワタの復活に糖分が関係
するか調べた。糖度0%から20%の砂糖水をしみこませたコットンを用いてワタが
復活する個体数と程度を調べたが，糖度の違いによる大きな差は見られなかった。

【実験3：葉に吸汁せずにワタが復活するか】

　水だけしみこませたコットンでワタが復活するかを調べた。Lv.2の個体のワタを
取ってから9時間後，Lv.1までワタが復活した。そこで再びワタを取り，9時間後に
観察すると，ワタは復活していなかった（図3）。

ワタ取り前

ワタ取り後

⇒
ワタを取って
9時間後

Lv.1まで
ワタが復活

⇒
再びワタを
取ってから
9時間後

ワタの復活
なし

図3　実験3の結果

【実験4：エノキの葉によってどこまでワタが復活するか】

　ワタを取った個体を採取したエノキの葉に乗せ，ワタが復活するかを調べた。ワタを取ってから24時間後には，全ての個体のワタが復活していた。その後，再びワタを取ってしばらくしてから観察することを3回繰り返した（図4）。全ての実験で，ワタが復活した個体がいた。

ワタ取り前

⇒

24時間後
全てのワタ
が復活

⇒

32時間後
全てのワタ
が復活

⇒

9時間後
全てのワタ
が復活

⇒

9時間後
一部のワタ
が復活

図4　実験4の結果

【実験5：エノキ以外の植物でもワタが復活するのか】

　エノキについていた個体を採取し，ワタを取っていろいろな植物（サクラ，ヘクソカズラ，ノゲシ，ケヤキなど）の葉に乗せ，ワタが復活するかを調べた。採取してすぐに実験を行うとワタが復活する個体もあったが，水だけのコットンで1日ほど飼育してから実験を行うと，ワタが復活する個体は1匹もいなかった。

🗐 考察

　実験3で水だけではワタが元の段階までは戻らず，再びワタを取ると，ワタの復活量が減少したことから，ワタの成分を体内に貯留していることが分かった。実験1，実験4，実験5でエノキの葉があるとワタが多く復活したことから，ワタの成分はエノキの葉にのみ存在していると考えられる。また，採取した葉でもワタが復活することから，葉が持つ成分によってワタが作られることも分かった。実験2から，糖分やでんぷん以外の物質が関係しているのではないかと推測する。

作品について

　伊藤さんは身近に息づく小さなアブラムシを見つけ，興味をもったようです。体長わずか 2 mm 程度の生物に気づくこと，そして何だか不思議だなと思う時点で伊藤さんの「科学の芽」は芽吹き出しています。そして，その不思議をそのままにせず，まず文献調査から始めています。アブラムシの種類を知り，ワタをつくること，ワタが何のためにあるのかなど，すでに分かっていることをきちんと調べています。その上で，文献では分からなかったことを自分の手で調べようという姿勢と手順は素晴らしいものです。

　さて，この作品では伊藤さんが丁寧にアブラムシを扱い，よく観察していることや，一つ一つの観察実験を積み重ねて，少しずつアブラムシのワタの不思議を明らかにしていく様子が伝わってきます。作品を拝見しながら思い出したのは「ファーブル昆虫記」です。皆さんも一度は目にしたことがあるのではないでしょうか。ファーブルの粘り強く地道な観察によって，昆虫の行動，生態の謎に段々と迫っていく様子が本作品と重なります。そう思い，しばらくぶりに本を手に取ったところ，何とファーブル昆虫記にワタをつくるアブラムシの話がありました（ただし，ファーブル昆虫記に登場するアブラムシと本作品のアブラムシとは別の種です）。小さな生物の不思議な営みに目を向けると，驚くような世界がひろがっていることに気づかせてくれる名著です。

　さて，エノキワタアブラムシにとって，ワタの生成にはエノキの葉が不可欠のようです。このように，ある条件下でのみ起こる現象を「特異的」「特異性」と呼びます。エノキワタアブラムシがエノキに特異的に生息する理由がワタの生成と関係しているのかもしれません。逆に，エノキにとってエノキワタアブラムシは何か作用しているのでしょうか。他にワタを作る生物との違いは何でしょうか。伊藤さんの研究はまだまだ始まったばかりです。伸ばし始めた茎から，いろいろな方向へと枝葉を伸ばして，大きく成長させてくれることを期待しています。

ひずむと熱が発生する？

～イオの火山の不思議 part3～

第18回
中学生の部

しばた　ちとせ
柴田 千歳

［静岡大学教育学部附属浜松中学校 1年生］

イオの火山から着想を得て、身近な金属の曲げ伸ばしを行い、その部分にどのくらい熱が発生するのかを調べています。より高い温度を出すために材料や装置の工夫をしています。3年目の今回は、曲げ伸ばしを長く続けるために、加工硬化の起こりやすさと金属の板の折れやすさに注目して実験を行いました。めざせイオの火山の温度！

Ⅰ 研究の概要

研究の動機・目的

　地殻が金属鉄である木星の衛星「イオ」は，木星の引力によって金属鉄にひずみがくり返し起こり，火山のマグマとなる熱が発生する。それを知り，「金属がひずむと熱が発生する」という現象に興味を持ち，2年間研究を続けてきた。今年度の研究では，これまでの反省を生かし，より高い温度を出すために折れにくい金属を使用して，金属を繰り返し折り曲げてひずみを発生させるときの角度を統一できるよう装置を改良し，実験を行うこととする。

金属による加工硬化の起こりにくさ

　2021年度はステンレス鋼（SUS304）の太さ2.0 mmの針金で最大89.1 ℃，2022年度はステンレス鋼（SUS304）の太さ2.6 mmの針金で最大134.4 ℃温度が上昇した。昨年までの研究で，金属の曲げ伸ばしをするとひずんだ部分に熱が発生するのだが，針金をひずませている部分で加工硬化（金属に強い力を加えると金属が固くなる現象）が起こり，針金が折れてしまうことが分かった。そのため，加工硬化が起こりにくい金属ほど折れにくいと予想した。そこで，本研究で使用する金属の加工硬化の起こりにくさを調査した。

　調査の結果，加工硬化の起こりにくさは，SUS430 ＜ SUS304であることが分かった。本研究では，SUS304Lも使用するが，SUS304Lについては情報が得られなかったため，SUS304と同等であると推測することにした。

実験方法

　万力とバイスプライヤーを用いて，長さ10 cm，厚さ2.0 mmの板状の金属が折れるまで，1分間に90回のペースで約50°に曲げ伸ばしを行った（図1）。昨年までは針金を使用して実験を行っていたが，加工硬化の起こりにくさの違うステンレス（例えば，SUS430とSUS304）を集めることが困難だったため金属板を使用して実験を行うことにした。金属の温度は熱電対温度計を用いて測定し（図2），曲げ伸ばしの角度を統一するために金折を万力に挟んだ（図3）。

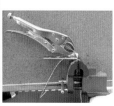
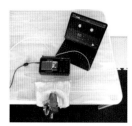

図1　金属板の曲げ伸ばしの様子　　図2　温度測定の様子　　図3　装置の工夫

🖳 結果と考察

①金属板が折れるまでの時間

実験により，表1の結果が得られた。調査では，加工硬化の起こりにくさは，SUS430 < SUS304 ≒ SUS304L であ

表1　金属板が折れるまでの時間

折れるまでの時間（秒）	n値	1回目	2回目	3回目	平均
SUS304	0.50	63.0	65.0	57.0	61.7
SUS304L	0.50	54.0	58.0	54.0	55.3
SUS430	0.23	91.0	83.0	99.0	91.0

ると予想していた。表1より，加工硬化が起こりにくい（n値が小さい）金属ほど，金属板が折れるまでの時間が長くなることが分かった。この結果は，実験前に立てた予想を支持する結果となった。

②金属板の曲げ伸ばしによる温度上昇

実験により，表2の結果が得られた。温度上昇が大きくなった順に並べると，SUS304 > SUS304L > SUS430

表2　金属板の温度上昇

上昇温度（℃）	1回目	2回目	3回目	平均
SUS304	166.7	183.1	172.1	174.0
SUS304L	168.3	181.5	163.5	171.1
SUS430	109.5	111.0	116.9	112.5

となった。本研究では，折れにくい金属を使用することにより，金属の温度上昇を大きくすることができると予想していた。しかし，金属板が折れるまでの時間と温度上昇には関係がないことが明らかになった。この結果は，実験前に立てた予想に反する結果となった。今年度の研究では，昨年までの研究結果よりも得られるデータのばらつきを小さくできた。その理由として，装置の工夫が影響していると考えられる。

🖳 ひずませると熱が発生する理由と今後に向けて

今回行ったのは塑性変形で，力を加えるのを止めても元の形には戻らない変形のことである。塑性変形は，隣り合う原子同士をつないでいたばねが切れて，別の原子と結合することによって起こる（図4）。金属の曲げ伸ばしをしていると温度が上がるのは，この塑性変形が関わっていると考える。原子をつないでいるばねのようなものがちぎれたり，別の部分と結合したりするときに発熱していると考えた。つまり，原子の結びつきが変わるときに発熱するという現象があるのではないだろうか。

全体：すべり面　青い丸：原子　黒い棒：原子をつなぐばね　赤印：転位

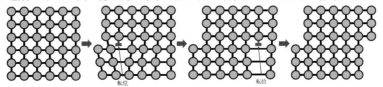

図4　塑性変形のイメージ

今後，塑性変形以外に弾性変形などにも着目して，どのような条件であればイオの火山の温度（2027℃）を得ることができるのか研究を続けていきたい。

作品について

　本研究は，宇宙への興味から生まれたものです。宇宙で起こっている現象を身の回りのものを使ってその仕組みを明らかにしようとする姿勢，また，宇宙から金属のひずみによる熱へと興味が移り変わることができるのは，とても素晴らしいものですね。

　本研究は，3年にわたって行われています。1年間のみ研究をして満足するのではなく，イオの火山という真実に迫りたい一心で，物事を深く見つめ続けています。初年度は，針金を使用して金属のひずみによって温度上昇することを発見しました。2年目は，金属の温度をより上昇させるために実験の方法を改良しました。3年目は，これまでの反省を生かし，実験方法の精度にもこだわりました。自ら実験装置を工夫することにより，データのばらつきを小さくできたのは，見事です。自然科学では，物事の本質に迫るために観察・実験という手法を利用します。しかし，どうしてもデータにはばらつきが生まれます。このばらつきを小さくしようと試みることで，より真実に迫ることができるのですね。

　今回の実験で得た何よりの学びは，予想に反する結果が得られたことではないでしょうか。昨年までの研究で，金属の曲げ伸ばしをすることで熱が発生することが明らかになり，折れにくい金属を使用することでイオの火山の温度（2027 ℃）に近づくことができるのではないかと予想するのは，もっともらしいです。しかし，実験をしてみたところ，折れにくい金属ほど温度上昇が小さく，両者に関係がないことが明らかになったのです。予想に反する結果が得られることは，実験の失敗を意味するのではありません。予想を立てた時点では，説明がもっともらしいのに，「なぜ？」「どうして？」予想に反する結果が得られたのだろうと，新たな学びがスタートします。今回の研究でも，ひずみによって熱が発生する理由を新たに考え直す様子が見られたり，様々な要因を考え出し，来年以降の研究の視点を得ているように思われます。また，研究を進めていくにあたり，現象を捉える視点がミクロなものになっており，ますます研究が高度かつ発展的になることが予想されます。ぜひ，イオの火山を目指して，様々な要素を考えながら研究が発展していくことを祈っています。

ミドリシジミ類の
オスの翅の色味・輝きの役目

もりや ふみか
守谷 史佳

［福島大学附属中学校 2年生］

ミドリシジミ類は生息場所・発生期間ともに限られていますが、今年の夏の調査はちょうど発生の最盛期に当たり、満足のいく調査を行うことができました。RGB値の測定は300回以上行い大変でしたが、その分定量的な解析をすることができ、ミドリシジミ類のオスの翅の色味・輝きがその生態に欠かせないものとなっていることを明らかにすることができました。

研究の動機・目的

　去年の研究で，ミドリシジミ類のオスの翅は角度や天気で見え方が異なること（図1）や，オスが翅を広げて占有行動や卍巴飛翔<ruby>卍巴<rt>まんじともえ</rt></ruby><ruby>飛翔<rt>ひ しょう</rt></ruby>する様子を

図1　角度による翅の見え方の違い

確認し，オスは翅の色味や輝きを見ることでオス同士の互いの存在を確認しているのではないかと考えた。そこで，翅の色味の分析と実際の行動観察を通して，翅の色味や輝きが果たす役割の検証を行った。

実験方法

　研究対象をオオミドリシジミ属の3種とメスアカミドリシジミ属の2種として次の実験を行った。

【実験1】ミドリシジミ類のオスの行動を観察し，同定・記録をする。

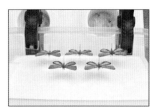
図2　標本

　ミドリシジミ類の生息地である福島県内の落葉広葉樹林帯にて，2023年6月から7月にかけて3日間，午前と午後に分け調査時の天気，日差しの強さ，気温を記録し，ミドリシジミ類のオスの行動を詳細に記録した。

【実験2】曇り・晴れの条件での行動，翅の色味や輝きの共通点・相違点を調べる。

図3　撮影の概念図

　屋外において，ミドリシジミ類5種の標本（図2）を各種5頭ずつ用意し，頭を上にして60度傾けた状態で撮影した（図3）。撮影は，2023年8月に曇りと晴れの条件でそれぞれ行い，色味を定量的に分析・再現するために写真の色から「色調べ」というアプリケーションを用いて各個体7箇所（図4）のRGB値を測定した。

実験と結果

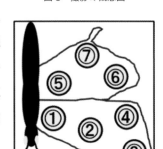
図4　翅の測定位置

【実験1：ミドリシジミ類のオスの行動】

　天気にかかわらず占有行動や卍巴飛翔が確認できたが，曇りの日の方が低い場所で占有行動をしている様子が見られた。占有行動をするオスは，特定の方向ではなく空間的に開けている方向を向き，飛翔している間は常にお互いを見ることができる態勢であった。オスが一斉に群飛して活動が活発になるピークの時間帯（数十分から2時間程度）があった。林道沿いのギャップでは5分おきほどで，特に活発な時間とそれ

ほど活発ではない時間が交互に繰り返され，特に活発な時間には占有行動をして翅を広げている個体がすぐに飛び立つことが多く，そうでない時間には数分間同じ葉に止まったままの個体も観察された。曇りの日では葉や枝に止まるとすぐに翅を全開にするが，一方で晴れの日では翅を半開にしたりほぼ閉じたりした姿勢が多かった。また晴れの日には体の向きを変えて体温調節をしていた。

【実験２：翅の色味や輝きの比較】

ミドリシジミ類の色覚は青色に分光感度のピークがあることが明らかになっていることから，曇り・晴れの条件におけるRGB測定値のうちB（青）の値を翅の位置ごとに比較した（図5）。

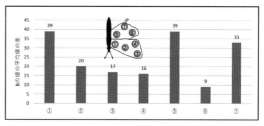

図5　曇りと晴れにおける位置ごとのB値（平均）の差

📖 考察

・位置①，⑤，⑦付近の青みの強さ（図6）は，曇りの日より晴れの日の方が強くなり，⑥はほぼ変化しない。晴れの日において，翅を半開にした際に見えにくくなる位置（⑥）における翅の視認性を曇りの日より強め，一方で翅を半開にした時に完全に見えなくなる位置（①，⑤，⑦）における翅の視認性を曇りの日と同等にしている。

・曇りの日と晴れの日とで翅の広げ方に違いがあるのは日光浴と関係がある。体温調節を図るために日光が少ない曇りの日は翅を全開に，日光が多い晴れの日には半開にしている。

📖 結論

ミドリシジミ類のオスは，曇りと晴れの条件の間で翅の開きに差をつけている。このことは，オスが活発に活動できる期間は１年のうち数週程度であり

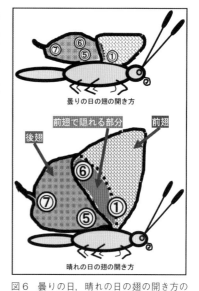

図6　曇りの日，晴れの日の翅の開き方の模式図
晴れの日の図において，⑥は後上にあるため，前に隠されている
図示したのは左の翅のみである

梅雨と重なっているため，天気が曇りでも晴れでも同様のレベルで他のオスから認識されようとするミドリシジミ類の工夫と解釈することができる。また，生物である以上，体温調節も欠かすことができないため，その特殊な翅を自身の生命，ひいては自身の種を存続させるためにいくつかの方法で役立てていると考えられる。

作品について

　昨年度の研究で検証に不足があった部分を，今年度は明らかにしようという心意気が感じられる作品です。本研究では，翅の色味の分析とミドリシジミ類のオスの行動を実際に観察することを通して，翅の色味や輝きが果たす役割に迫っていくという主軸がはっきりとしており，この軸に基づいて計画的・効果的に検証実験が行われていると思います。この検証実験についても，一つは実際にミドリシジミ類が生息する生態系にて3日間かけて行ったフィールドワーク，もう一つは視点を大きく変えておこなった翅の物性の調査と，意図的に2つの段階に分けて計画されています。フィールドワークについては，今回の研究の対象となったミドリシジミ類は，生息場所や発生期間が限られていることから，計154個体のオスを採集して図7・図8のように観察し，データをまとめるだけでも容易ではないことが想像されます。また，オスの翅の色の比較についても，単に濃い薄いといった表現にとどまらず，中学生が自分で測定可能な方法で色を数値化し，比較を通して結論を導いている点が，科学的な研究を進める姿勢として大切だと思います。今後もこの姿勢を忘れることなく，知見や経験を深めていく中で新たに生じた問いと仮説を検証するときに役立ててください。今後の研究にも期待しております。

図7　曇りの日に翅を広げて占有行動をしている様子
翅を全開にしている（7月1日午前）

図8　晴れの日に翅を広げて占有行動をしている様子
翅をやや開いている（7月2日午前）

揺れる音「ビブラート」の研究

―吹奏楽器のビブラート音は何が揺れているのか?―

まるやま さら
丸山 紗楽

[筑波大学附属中学校 2年生]

ビブラートとは、音を上下に細かく揺らす演奏技法で、色々な楽器で使われています。私が部活で吹いているフルート等の吹奏楽器は、吹き込む息の量を増減させて出しますが、その音の揺れの正体に興味を持って研究を始めました。沢山の音源データをとるのは大変でしたが、ビブラート音の仕組みが段々明らかになって楽しかったです。

I　研究の概要

研究の動機・目的

　私はフルートを習っていて，きれいにビブラートをかける練習をしている。ところが，学校の吹奏楽部では，不協和音になることを理由にビブラートをかけてはいけないと言われている。ビブラート音は，音量が揺れるだけだとすれば，音程は一定で不協和音にはならないはずだと疑問に思い，詳しく調べたいと考えた。

実験方法

　録音した楽器音を音声解析アプリ（Audacity）で観察し，分析する（図1）。また，録音できない楽器音は，「RWC 研究用音楽データベース」の音源を使用する。

図1　録音で使用した装置

【実験1：ビブラート音はストレート音とどう違うのか？】

　フルートのスペクトログラム（図2）には，横筋がたくさんあり（②④），一番明るいものが基音，それより上が倍音である。倍音の間には紫のモヤモヤがあり，倍音と倍音の間の音も弱く鳴っている。ストレート音は，吹き始め以外に音量はほとんど変化なく（①），音程も変化しない（②）。ビブラート音は，音量が最低音量の 10 倍以上に激しく変化し（③），基音の音程はほとんど変わっていないが，わずかに波打ち，基音より倍音の方が揺れているように見える（④）。

音	音量（振幅）	音量の変化	音程（基音の周波数）	音程（基音）の変化
ラ（ストレート）	0.2dB-0.3dB	最大 0.1dB	890Hz	なし
ラ（ビブラート）	0.03dB-0.3dB	最大 0.27dB	890-895Hz	ほぼ一定

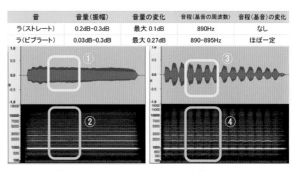

図2　左：ストレート音／右：ビブラート音

【実験2：ビブラート音は音程によって変わるか？】

　フルートでビブラートをかけて吹いた異なる音程のラ音を解析すると，どの音程も音量が揺れ，音程はほとんど変化せず，音程が高いほど音量の揺れ（強弱差）が大きくなっていることが分かった。また，倍音とその間のモヤモヤも，音量の変化に合わせて揺れているようで，基音から離れたものの方が揺れているように見える。

【実験3：吹奏楽器のビブラート音はどのように揺れているのか？】

　クラリネット（シングルリード），オーボエ（ダブルリード），トランペット（リップリード）のビブラート音を解析すると，いずれの楽器も「音量が揺れている」のに対し，「基音の音程は揺れていない」という特徴を示していた。ただし，音量の変化は，フルートは激しく，トランペットは少ないなど，楽器による特徴が見られる（図3）。

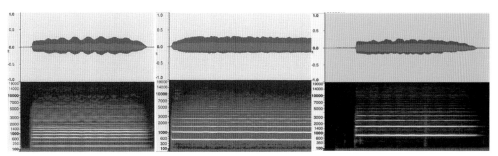

図3　左：クラリネット／中：トランペット／右：オーボエ

【実験4：管楽器以外のビブラート音はどのように揺れているか？】

　ピアノとヴァイオリンの音を吹奏楽器と比較した。ピアノは音を出す仕組みからビブラート音をかけることはできず，一度音を出したら音量はどんどん下がり，音程は一定で変化しない。ヴァイオリンのビブラート音は，音量が激しく細かく増減し，音程は基音も倍音も波打つように揺れたが，その揺れは倍音の方が大きいように見える。

【実験5：吹奏楽器の合奏は不協和音になるのか？】

　吹奏楽器（フルート・クラリネット・オーボエ・トランペット）の合奏音を分析すると，音量は激しく細かく揺れ，基音の周波数は安定しているが，倍音は少し乱れて揺れており，合奏した音は，澄んだ調和した音には聴こえない。音量の揺れが細かいのは4つの楽器の揺れが合わさっているからだろう（図4）。

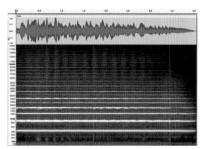

図4　吹奏楽器4つのビブラート音の合奏

🖳 まとめ

　実験を通して，①ビブラート音は楽器によって異なり，吹奏楽器では，②音量が揺れて変動し，基音の音程はほとんど変動しないことが分かった。しかし吹奏楽器でも，③楽器ごとに音量の変化の仕方が異なるなどの特徴があり，④基音の周波数は安定しているが，倍音とその間でモヤモヤと現れている部分の周波数は不安定で少し揺れており，その揺れは周波数が高くなるほど大きいように見えた。一方，⑤合奏した音は，澄んだ協和音には聞こえなかった。

🖳 感想と今後の課題

　吹奏楽器はビブラート音の音程は一定なので，ビブラート音で合奏しても協和音が出ると思っていたが，澄んだ協和音には聞こえなかった。音が濁ったのは，それぞれの楽器の基音は安定しているが，倍音の部分で音程が揺れていたことと関わりがあるかもしれない。

作品について

　丸山さんは，フルートを習いながら，また学校の吹奏楽部で活動しながら疑問に感じたことがきっかけとなり，楽器で発生させた音を装飾するビブラートをテーマに選びました。作品には，「ビブラートとは，音を細かく揺らす演奏技法」とあり，「何がどう揺らいでいるのか？」「楽器によって鳴り方が異なるのか？」「ビブラート音で合奏すると不協和音になるのか？」などを分析することが研究の目的となっています。日常の気付きを見逃さず，問いを明確にして実験に臨んだ姿勢は素晴らしいと思います。

　音には，音量（大きさ・強さ），音程（高さ），音色の三要素があります。丸山さんは，このことをよく理解していて，ビブラートと音量・音程がどのように関わっているのかを調べようと，音声解析アプリを利用しました。このアプリは音量・音程の時間変化を視覚的に捉えることができ，得られたデータは現象の背景を科学的に分析するためにとても有効です。そして，その分析結果と聴覚で捉えた感覚との関係が明らかになれば，疑問の解決につながりそうです。

　実験は，まずフルートのビブラート音とそうではない音の違いと，その違いが音程によってどう変わるかを，明らかにすることからはじまりました。結果，ビブラート音は音量が大きく揺れ，その傾向は音程が高いほど強いこと，また，基音から離れた倍音では音程も少し揺れていることが分かりました。次に，フルート以外の楽器について調べたところ，吹奏楽器では同じような特徴が見られる一方で，ヴァイオリンのビブラートは音量・音程ともにはっきり揺れていることが分かりました。そして最後は，吹奏楽器の合奏ではどうなるかです。結果，耳で聴いた感覚は澄んだ音ではなく，倍音以上の音域で確認できた揺らぎがその原因と考えられるとの結論を得ることができました。

　以上のように，抱いた疑問から解明したい課題を明快に示したこと。その課題に対して仮説を立てながら適切な実験方法を選んでいること。そして，必要なデータを的確に収集していることは，この作品の優れている点として高く評価できます。今後，より詳細な解析によってさらなる解明が進むとともに，好きなフルートがより一層上達し，吹奏楽部で活躍することを大いに期待しています。

2023

響け！篠笛
篠笛の吹き方の音響学的考察

〜呂音・甲音の出し方を可視化する〜

第18回
中学生の部

たにぐち
谷口 ゆい

[東洋英和女学院中学部 2年生]

実験条件（気流の角度・ストローの太さ・送気に使う
装置など）を決定するために、多数の予備実験を行
い、ようやく再現性のある吹奏音が得られました。
結果を参考に、オクターブが容易に吹き分けられる様
になりました。今後は背景型シュリーレン法を利用し
て、他の管楽器やパイプオルガン等の研究にも役立
てたいと思います。

I　研究の概要

研究の背景・目的

　私の通う学校の音楽の授業では，日本の伝統音楽も積極的に取り入れている。篠笛（しのぶえ）は音を出すだけでも難しいが，呂音（りょうおん）（低音）と甲音（かんおん）（1オクターブ上）の吹き分けにはとても苦労する。どう吹けば吹き分けが容易になるかを検討し，演奏に役立てたい。

実験と結果

【実験1：呂音および甲音を出すのに最も適切な角度，およびストロー径の検証】

〈方法〉　横笛では，同じ運指でありながら，息を吹き込む角度や強さにより音の高さ（オクターブ違い）を吹き分ける。ハンディ掃除機の排気を利用して唄口（うたくち）に空気を送り込む実験装置を組み立て，それぞれの音域で最も適切な角度の検証を行った。

〈結果〉　呂音は唄口に対して30度下の向きで，直径6 mmのストロー（黒）で送気することで安定して音が鳴る（図1左）のに対し，甲音は唄口に対してほぼ0度（水平）にして直径4.5 mmのストロー（透明）で安定して音が鳴る（図1右）ことが分かった。

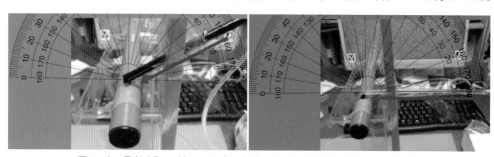

図1　左：呂音（唄口に対して30度下向き）／右：甲音（唄口に対してほぼ0度）

【実験2：周波数の変化によるビーズの共振の変化】

〈方法〉　Kundtの共鳴管の原理を応用した実験装置を自作した。唄口と管端に配置したスピーカーからサイン波を発生させ，管内のビーズで空気の振動を可視化した。

〈結果〉　540 Hzまで上昇させた時点でビーズが共振し，振動の節と腹が現れた。この音の高さは，呂音と一致した（図2左）。さらに2倍の1080 Hzまで上昇させると，より細かい節と腹が現れた。この音の高さは甲音と一致した（図2右）。

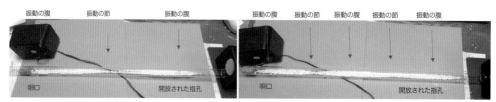

図2　左：540 Hz／右：1080 Hz

【実験3：呂音と甲音の周波数解析】

〈方法〉 同じ指使いで演奏される異なる高さの音（C5（呂音）とC6（甲音））で周波数の成分の違いを検証するため，アプリ（Audacity）を用いて周波数解析を行った。

〈結果〉 C5では2倍音（C6）以上の倍音が豊富に含まれており（図3左），C6では少ないながらもC5の成分が含まれている（図3右）ことが確認できた。

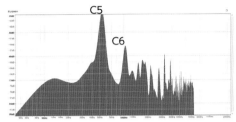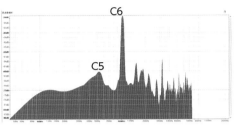

図3　左：C5（呂音）／右：C6（甲音）

【実験4：気流の可視化／呂音と甲音の差の検証】

〈方法〉 液体や気体の濃度勾配を可視化する「背景型シュリーレン法」のアプリ（Air Visualizer）を用いて，呂音と甲音で生じる気流の差を検証した（図4）。

〈結果〉 呂音は管体のまわりに緩やかに広がる気流があり（図5左），甲音は気流が管体を超えて素早く直線的に移動している（図5右）ことが可視化・確認された。

図4　実験4の様子　　　　　　　　　　図5　左：呂音／右：甲音

📖 考察・感想

①ストローの角度や太さ：呂音では「角度を深く・口はやや広く」，甲音では「角度を浅く・口は微妙に狭く」という一般知識とよく合致していた。

②篠笛の中の空気の振動：同じ指使いでも振動数により気体の動きが異なる。

③周波数解析：呂音では2倍以上の倍音が豊富に含まれている一方，甲音のときにも少ないながらも低い音の成分が実は混在している。

④背景シュリーレン法：呂音では管体のまわりに乱流があり，甲音では直線的な気流が管体外に存在する。

　得られた結果を意識して演奏することで，実際の吹き分けが容易になった。一方，考案した実験装置では，気流の角度やストローの太さは非常に限定された範囲でしかうまく鳴らず，人間の口がいかに微妙な調整をしているか，改めて驚いた。

作品について

　谷口さんは，学校で練習する和楽器の篠笛について，演奏することの難しさを感じていました。作品には具体的に，「同じ運指でありながら，息を吹き込む角度や強さにより，音の高さ（オクターブ違い）を吹き分ける」ことと記されています。低い音の領域は「呂音」，その1オクターブ高い音の領域は「甲音」と呼ばれ，その2つの音の違いを科学的に理解できれば，演奏に役立つかもしれないと考えたことがこの研究の背景にあります。

　科学的な理解には，客観的で再現性のあるデータが必要です。しかし，篠笛に息を吹き込む口の形や，吹き込む息の向き・強さは人によって異なり，どうやってデータを収集するかが大きな課題となります。ストローで口を単純な構造にモデル化し，掃除機の排気を利用して一定量の空気を送り込むユニークな方法でこの課題を解決したことは，高く評価できます。

　ただ，これだけで篠笛は鳴らなかったそうです。「作品の概要」には掲載しきれませんでしたが，原点に戻った谷口さんは，実際の演奏では下唇が唄口の一部を塞いでいることに気がつき，その部分をセロテープで塞ぐという改善を試みた結果，見事篠笛を鳴らすことができました。この苦労があったおかげで，モデル化した口で目的の音を鳴らすことがいかに難しいかということが分かり，逆に人は絶妙なさじ加減で巧みに調整していることを実感できたことは，貴重な経験になったと思います。

セロハンテープで唄口の手前側を塞ぐ

　また，目で直接確認できない空気の振動を様々な方法で可視化し，定量的なデータを得ようとした工夫も優れた点として挙げられます。ここでは，篠笛を透明なアクリルパイプでモデル化して実験に挑みました。まず，クント（Kundt）の実験を応用して管内部の振動の様子を捉え，次に，背景型シュリーレン法のアプリケーションを用いることによって，管外部の気流の様子を捉えることにも成功しました。特に，スプレー缶（エアダスター）の圧縮空気を利用して，測定に不可欠な温度差を生み出したアイデアは素晴らしいと思います。この探究の成果が，実際の演奏で大いに役立つことを期待しています。

ヘビイチゴのかゆみ止めの秘密を探る

石橋 紅音（いしばし あかね）／長坪 奏良（ながつぼ そら）

［東京学芸大学附属国際中等教育学校 3年生］

身近にあるヘビイチゴの「不思議を解明したい」好奇心と研究に対する憧れがきっかけで始めましたが、実際には実験が期待通りにいかないことがほとんどです。一方で、実験で知らなかった薬品や反応について学ぶことが出来るなど研究の面白さも感じています。謎が解明できるように、これからも頑張ります！

I 研究の概要

研究の動機・目的

　理科の授業で校内に生えている植物の葉の観察を行った際に、ヘビイチゴに興味を持った。ヘビイチゴの実は2000年近く前からアジアで漢方薬として活用されており、具体例として、解熱、通経、咳止めも挙げられているが、かゆみ止めの効果の科学的検証の報告は見当たらない。そこで本研究ではヘビイチゴのかゆみ止めが効く原因を突き止めることを目的とした。

仮説

　市販のかゆみ止めに含まれている成分がヘビイチゴのかゆみ止めの中にも確認されれば、ヘビイチゴのかゆみ止めの効果が検証されると考えた。比較対象とする市販のかゆみ止めに含まれている成分は、身の回りにあったかゆみ止めや製薬会社のウェブサイトで頻出した成分を5つ選んだ。

実験方法

　校内で収穫したヘビイチゴを乾燥させ、エタノールに漬けた。これを濃縮し、ヘビイチゴから抽出溶液（以下、試料溶液）を作成した。

　試料溶液に、市販のかゆみ止めにある5つの成分が含まれているかを検証するために、薄層クロマトグラフィー（以下 TLC）を行った。TLC は、成分物質の極性の違いにより、移動速度が異なることを利用して成分を分離する技術である。しかし、TLC の展開溶媒の候補は無限にあるため、まずヘビイチゴの試料溶液の成分を分離できる展開溶媒を見つける必要がある。ヘビイチゴの試料溶液と市販のかゆみ止めの成分の TLC を行うことで、今回調査する以下の5つの成分、そして池田模範堂株式会社の液体ムヒ（以下液体ムヒ）に含まれている成分が試料溶液にも含まれているかを確認する。

・ジフェンヒドラミン塩酸塩（$C_{17}H_{21}NO \cdot HCl$）　・イソプロピルメチルフェノール（$C_{10}H_{14}O$）

・ℓ−メントール（$C_{10}H_{20}O$）　・リドカイン（$C_{14}H_{22}N_2O$）　・（±）−カンフル（$C_{10}H_{16}O$）

薄層クロマトグラフィー

　TLC の実験は、試料溶液を分離することができる展開溶媒を探す目的と、試料溶液に5つのかゆみ止め成分が入っているか確認する目的で計48回行った。今回は、TLC プレートの着色剤としてヨウ素、りんモリブデン酸ナトリウムエタノール溶液（以下、りんモリブデン酸溶液）、ニンヒドリン溶液、p−アニスアルデヒド溶液（以下アニスアルデヒド溶液）を用いた。

📖 実験結果と考察

　図1は，左からジフェンヒドラミン塩酸塩，イソプロピルメチルフェノール，試料溶液，ℓ-メントール，リドカインの TLC のスポットである。実験した TLC には終了後も成分が透明で見えないものがあるため，着色して成分を可視化した。スポットの位置を正確に表す Rf 値を，表1に示した。Rf 値とは，溶媒の移動距離を成分の移動距離で割り，相対値を示すものである。

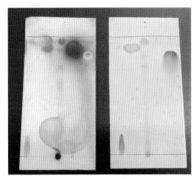

図1　TLC の結果

表1　Rf 値の結果

展開溶媒	クロロホルム：アセトン＝1：1	
着色剤	ヨウ素	りんモリブデン酸溶液
	（図1右）	（図1左）
試料溶液	0.26	
		0.59
	0.74	0.74
		0.89
$C_{17}H_{21}NO \cdot HCl$	0.15	0.15
$C_{10}H_{14}O$	0.90	0.89
$C_{10}H_{20}O$	測定不可	0.89
$C_{14}H_{22}N_2O$	0.83	0.85

　4つのかゆみ止めの成分とヘビイチゴのかゆみ止めの成分の位置を Rf 値で比べると，数値が一致するものが少ないことが読み取れる。これ以外に（±）-カンフル，液体ムヒについても実験を行ったところ，液体ムヒには試料溶液と一致している可能性がある成分があることが分かった。

📖 追加実験

　液体ムヒには植物由来の成分であるグリチルレチン酸が含まれていることが分かった。そこで，ヘビイチゴのかゆみ止めにグリチルレチン酸が含まれているか TLC で確認することにした。しかし，試料溶液に一致していそうな成分は特にないため，グリチルレチン酸は試料溶液に含まれていないと言える。

📖 研究の結論

　実験結果より，ヘビイチゴのかゆみ止めには，市販のかゆみ止めに頻出する6つの成分が含まれていないことが分かった。また，池田模範堂の液体ムヒには，ヘビイチゴのかゆみ止めと一致している可能性のある成分があることが確認された。

📖 今後の展望

　本研究を踏まえて，今後は市販のかゆみ止めに含まれている他の成分がヘビイチゴのかゆみ止めに含まれているかを確認していきたい。関連して，ヘビイチゴ以外の植物由来のかゆみ止めも調査していきたい。

中学生の部

作品について

　石橋さん，長坪さんの作品は，先行研究では報告されていない，ヘビイチゴのかゆみ止め効果の原因をかゆみ止め効果のある市販薬の成分と比較してつきとめるということを課題として探究を行いました。このように，学校で採取できる身近な植物に着目し，そこから「ヘビイチゴの抗炎症作用成分を発見する」という新規性とオリジナリティがある目的までたどり着いた点はとても素晴らしいと思います。

　本作品の探究の実験は，薄層クロマトグラフィー（TLC）という方法で行っています。試料をのせた薄層板を展開溶媒につけると，溶媒が毛細管現象によって浸み込み上昇していき，展開が開始されます。試料は，成分ごとに異なる速度で上昇していき，ある程度上昇すると，薄層板上に分離された化合物がバンド状に残ります。色の付いたスポットは目視で確認，色がないスポットはあらかじめ担体に蛍光指示薬を添加しておくことで，UV ランプ照射により確認することができます。このように，TLC は手軽な手法ですが，手作業で行うため，実験環境にも影響を受けやすく実験者の基礎知識や経験が必要不可欠です。

　本研究で石橋さんたちは，合計 48 回の TLC を行っています。1 ～ 16 回は試料溶液を分離することができる展開溶媒を探す目的で行い，17 ～ 48 回は試料溶液に 5 つのかゆみ止め成分が入っているか確認する目的で行っていました。このように，行った実験の信頼性や考察の妥当性を向上させるために，試料溶液の作成および調整や，展開溶媒の選定といった細かい科学的な操作を分かりやすく丁寧に行っています。彼女らは一見して困難なテーマに挑戦していますが，これらの実験過程からは研究に対して真摯に向き合う様子が感じられ，目的達成に近づくために一歩一歩着実に研究を進めている点は大変評価できます。さらに，最初の実験で思った結果は得られませんでしたが，さらに製造会社に連絡して新たな成分に関して本格的に実験を行っている点に粘り強く研究をする姿勢を感じます。

　今回得られた結果を踏まえて，石橋さんたちは「今後は市販のかゆみ止めに含まれている他の成分がヘビイチゴのかゆみ止めに含まれているかを確認していきたい。」と述べています。さらに，ヘビイチゴの実ではなく葉がかゆみ止めの効果を持っているかどうか，など様々な視点から研究を進めていくことで，かゆみ止めの効果の理由を突き止めることができることを期待しています。

第3章「科学の芽」をひらく
～未知への探検に乗り出そう～（高校生の部）

「科学の芽」賞
——————————高校生の部について

　皆さんは，ノーベル賞に関する書籍や新聞記事などを見たことはありますか。最近はYouTube の公式チャンネル「Nobel Prize」にて，ストックホルム・コンサートホールで行われる華々しい授賞式の様子も公開されています。受賞者の方々を見ると，高校生の皆さんから見て2世代は上，つまり祖父母くらいの年齢の方々が多いように感じられるかもしれません。昨今，ノーベル賞の中でも特に自然科学3賞の受賞年齢は高齢化しています。2010 年代，2020 年代の受賞平均年齢は 60 代後半，もう少しで 70 代に届きそうなくらいです。

　それを見ていると，ノーベル賞に関わるような最先端の研究に携わるのはずっとずっと先……と思うかもしれませんが，実はそうでもありません。

　朝永振一郎先生がノーベル物理学賞を受賞したのは 1965 年。この時，朝永先生は 59歳でいらっしゃいました。朝永先生の受賞は「量子電気力学に関する基礎的研究」によるものであり，その超多時間理論に関する著名な論文を発表したのが 1946 年，つまり40 歳の時です。そして，量子電気力学分野の研究に携わるようになったのは，理化学研究所にいらっしゃった仁科芳雄先生からお誘いを受けた 1931 年の頃と考えるべきでしょう。この時の朝永先生は，なんと 25 歳です。

　実際のところ，ノーベル賞の受賞理由に関わる研究業績は，受賞者が 30 代から 40 代の頃のものが多いそうです。その頃には既に分野のスペシャリストになっているわけですから，その研究を 20 代から始めていたとしても，不思議ではありませんね。本書を手に取ってくれた高校生の皆さんは，今日から 10 年もしないうちに，そのような最先端研究に取り組むことになるのでしょう。

　遠い未来の話ではありません。すぐにでも，君たちの番がやってくるのです。今日までの取り組みが花開き，実を結ぶよう，心より応援しております。

　さて，高校生部門は次の観点に基づいて審査されました。

【審査の観点】

① 課題設定：テーマの魅力，独創性があるか。

② 研究手法：実験や調査の手法が目的に沿って適切か否か。

③ 解析方法：得られたデータの客観性，妥当性を保証するものであるか。

④ 結論・考察：単なる結果のまとめではなく，独自の視点が盛り込まれているか。

　2022年度，2023年度はそれぞれ1作品ずつ，計2作品が「科学の芽」賞を受賞しました。その作品を，審査の観点から振り返ってみましょう。

　①の課題設定におけるテーマの魅力は，例えばそのテーマが学術的あるいは社会的に興味深く，私たちの幸福に資するものであれば，認められます。「アリジゴクの繭作りの要因」は，アリジゴクの頭部幅を調べて齢を知るための基準づくり，与える餌や巣材の違いが繭化に与える影響をみる飼育実験が主な内容でした。これは，アリジゴクに関する未知の生態を明らかにする点において学術的な価値があります。また，生物学において一つ一つの種について詳しく調べることは，生物多様性を守る上で重要です。「岐阜市長良川堤防に生息するジャコウアゲハとホソオチョウの競合について」は，同じ食草を巡って競合する2種の生物が互いに与える影響や，草刈りなど人の手入れが与える影響を調査し，共存させるためにはどうすればよいかを調査・検討するものでした。これはまさに生物多様性を保全するための研究であり，普段から多くの生き物の力を借りながら生きる私たちにとって，有益な学びにつながるものです。

　②の研究手法については，実験の手法が目的に添っていて，かつ科学的に妥当であるかを検討しています。生物の生態を知るためには観察することが何より重要ですが，「アリジゴク」においては100日間の緻密な観察データが，「ジャコウアゲハとホソオチョウ」は9人が協力して5ヶ月間欠かさず積み重ねた記録が，研究の裏付けになっています。

　③の解析方法は，得られたデータを正しい手法で分析・表現し，客観的に考察できているかを審査しています。どちらの作品とも，得られたデータに対して誠実に向き合い，必要に応じて統計的手法も用いながら丁寧に分析していることが印象的でした。

　④の結論・考察については，単に得たデータ等を結論として提示するのではなく，その結果に至る背後にどのような理由や構造があるのかを見出すための，科学的かつ独創的な考察が為されているかを見ています。選ばれた2つの作品においても，単にデータを表すだけに終始せず，たくさんのデータと緻密な観察事実を突き合わせながら，結果を説明するための根拠を模索しているところが，高校生らしく探究心に溢れた姿勢であると評価されました。

　ここのところ高校生部門は作品のレベルが向上し，審査も難しくなってきています。そのような中で「科学の芽」賞に選ばれる作品からは，上記の観点を高いレベルで満たすことはもちろんのこと，作品から感じる研究への強い信念とこだわり，些細な気づきや疑問を放っておかず，徹底的に観察・調査する姿勢を感じます。皆さんの自信作の応募を，心よりお待ちしております。

アリジゴクの繭作りの要因

〜蛹化要因と臨界サイズの特定〜

くろくい こうすけ
黒杭 功祐

［白鷗大学足利高等学校 2年生］

「待ち伏せ型」という、運まかせの捕食方法を取るアリジゴクの生態に興味を持ち、小学生から研究を行ってきました。研究し解決しても、さらなる謎が見つかるアリジゴク。未だ試行錯誤を重ねている状態で、解決に至っておりません。私の研究を読んでくださり、その不思議な生態に少しでも興味を持っていただけると嬉しいです。

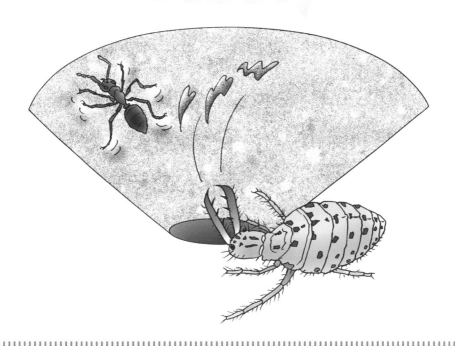

I 研究の概要

■ 研究目的

アリジゴクは，ウスバカゲロウやクロコウスバカゲロウなどの幼虫を指す。特に，乾いた地表にすり鉢状の巣を作り，地表を歩く小さな生物を待ち伏せて捕食することでよく知られている。

図1 アリジゴクの巣

昨年は，3齢（終齢）のウスバカゲロウを，給餌の頻度を様々に変えて生育し，捕食量と排泄量を測定し，それらが蛹化（繭化）に与える影響を調べた。その結果から捕食量が変態に影響を及ぼしていることは分かったが，具体的な結果を示すには至らなかった。そして齢についても，クロコウスバカゲロウ幼虫の齢基準を具体的に示す先行研究がない。

そこで本研究では，クロコウスバカゲロウ幼虫の齢の数とその判断基準を示すこと，蛹化の臨界サイズを示すこと，捕食量が蛹化や羽化に与える影響について明らかにすべく，研究を進めた。

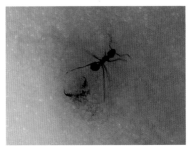

図2 捕食する様子

■ 研究方法

【1. 齢に関して調べるための頭部幅測定】

アリジゴクの頭部幅は脱皮した時のみに変化し，齢の判断に用いることができる。3月12日，19日，20日に捕獲した114個体のアリジゴクについて頭部幅を測定し，その結果から齢と頭部幅の関係を調べた。測定は，個体を撮影して画像処理ソフトウェアImageJで行った。また，実験期間中に脱皮があった場合，その後の頭部幅も測定し，脱皮前後の頭部幅をみて，それにより齢の判断ができるかどうかを確認した。

【2. 捕食量が蛹化に与える影響を調べる給餌実験】

頭部幅測定の際に捕獲した個体から，次の実験用に3齢40個体と2齢20個体を選別し，毎日給餌区と無給餌区に分け，3月26日の実験開始時まで給餌せずに観察した。その後の3月26日から7月2日までの100日間を実験期間とし，毎日給餌区の個体は，巣を作って捕食意欲がある状態であれば日に1回クロヤマアリ1匹を給餌した。また，無給餌区

図3 飼育室の様子

の個体は，餓死予防と飢餓耐久実験のため最初にクロヤマアリを1匹だけ捕食させ，その後は給餌しなかった。

　また，3齢個体は半数ずつ巣材をグラニュー糖と砂に分け，巣材が蛹化に与える影響も調べた。

　期間中の飼育は，飼育室内で個体ごとに容器を分けて行い，負の走光性対策としてケースの周囲は黒色紙で覆い，夜は農業用の遮光シートをかけた。飼育室の気温と湿度は，おんどとりを用いて毎日測定した。週ごとに精密天秤（てんびん）で体重を測定し，頭部幅を測定し，巣材をふるいにかけた。グラニュー糖巣材はアリジゴクの排泄物を吸収して固形化する（図4，図5）。この固形化した排泄物を取り出し，数と質量の推移を調べた。

図4　排泄の様子

図5　グラニュー糖で固まった排泄物

図6　大きさごとに分けたアリジゴク

■ 結果

【1．齢に関して調べるための頭部幅測定】

　頭部幅を測定してヒストグラムを作成すると，明らかに3峰性を示し，0.1 mm〜1.03 mm，1.1 mm〜1.79 mm，1.83 mm〜2.41 mmの3つの分布に分かれた（図6，図7）。また，給餌実験に用いた2齢個体は，毎日給餌区の10個体全てと無給餌区の1個体が脱皮したが，脱皮後の頭部幅は3齢と思われる範囲と一致した。

【2．捕食量が蛹化に与える影響を調べる給餌実験】

　毎日給餌区3齢個体は20個体中15個体が蛹化し，無給餌区3齢個体は20個体中2個体が蛹化した。

　巣材については，グラニュー糖で育てた毎日給餌区の個体が10個体全て蛹化し，うち8個体が羽化，

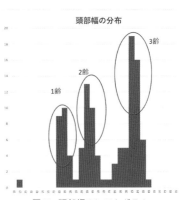
頭部幅の分布

1齢　2齢　3齢

図7　頭部幅のヒストグラム

残り2個体は繭の中で死んでいた。砂で育てた毎日給餌区の個体は10個体のうち5個体が蛹化し，その全てが羽化した。残りの5個体は蛹化することなく，実験期間内に死んだ。グラニュー糖で育てた3齢無給餌区の個体は，10個体中2個体が蛹化し羽化に至ったが，残りの8個体中5個体が死亡，3個体は蛹化せずに，幼虫のまま実

高校生の部

験を終えた。砂で育てた無給餌区の個体の中に蛹化したものはなく，10個体中4個体が死亡，6個体は幼虫のまま実験を終えた。

蛹化した17個体について，記録より実験開始から蛹化までの日数と繭の期間の日数を軸にとって散布図を作ったところ，それらの間に相関係数−0.904の強い負の相関があり，蛹化が早いほど繭の期間が長かったと分かった。

また，蛹化直前の質量を調べたところ，蛹化後に羽化できず繭内で死んでしまった2個体はそれぞれ0.066g，0.068gであり，全体のうち2番目，3番目に軽い個体であった。これが0.07g以上の個体は，全て羽化した。

2齢個体については，毎日給餌区は10個体全てが脱皮して3齢となり，無給餌区は10個体中1個体が脱皮した。毎日給餌区の個体は順調に体重を増やしているのに対し，無給餌区の個体の体重は，変化しないか，徐々に減少していき，実験開始から10週を過ぎた頃から餓死が始まった。

気象と脱皮・蛹化の関係をみると，飼育室内の湿度が60％〜70％と高くなった時に，脱皮・蛹化がさかんに行われていたようであった（図12）。

■ 考察

齢に関して調べる実験の結果は，その全てがクロコウスバカゲロウの幼虫は3齢が終齢であることを示しており，間違いないものと思われる。各齢

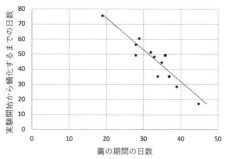

図8　蛹化までの日数と繭の日数の相関

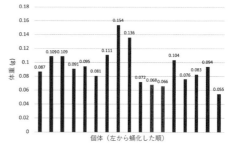

図9　蛹化直前の体重（赤は繭内死した個体）

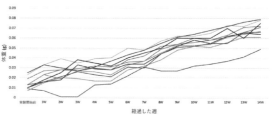

図10　毎日給餌区2齢の体重推移

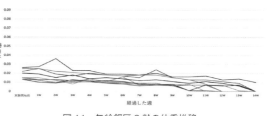

図11　無給餌区2齢の体重推移

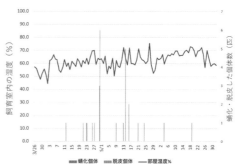

図12　湿度と脱皮・蛹化時期の関係

の頭部幅は，0.1 mm〜1.03 mm，1.1 mm〜1.79 mm，1.83 mm〜2.41 mm であり，これを利用して齢を推定できるだろう。3齢個体の蛹化した17個体は，蛹化直前の体重が0.055 g以上であったことから，およそそれ以上の体重であることが蛹化の必要条件であるようだ。一方で，0.07 g以下であると，繭内で死ぬ，羽化に失敗して死ぬ等のリスクがあるようだ。

　3齢無給餌区の20個体のうち，9個体が蛹化せずに実験を終えたが，これは十分な食餌ができない場合には蛹化せずに幼虫の期間が延長されることを示唆している。

　蛹化時期が早いほど繭の期間が長く，逆に蛹化が遅いほど繭の期間が短いのは，個体同士の羽化のタイミングを合わせるためだと思われる。蛹化のタイミングは捕食量による個体の体重差によって差が表れるが，蛹化の期間を調整して帳尻を合わせ，同時期に羽化することで子孫を残しやすくしているのではないか。

　2齢個体の脱皮についても，毎日給餌区は全て脱皮したのに対して無給餌区は1個体のみに留まったことから，脱皮にも蛹化と同様に十分な食餌が必要であり，それにより脱皮時期が前後し，あまりに食餌ができないと脱皮できずに死ぬ場合もある。

　また，湿度が高い日が続くことが，脱皮・蛹化を促している可能性がある。これは，高湿であれば脱皮直後の薄い皮膚でも水分の損失を防げること，降雨時にはアリジゴクが巣を作れず食餌できなくなるため（昨年の実験から），脱皮して過ごすことや繭で過ごすことは，生存の戦略として合理的である。

■ 結論

　本研究により，クロコウスバカゲロウの幼虫が3つの齢からなることが客観的に示され，脱皮や蛹化の条件を見出すことができた。アリジゴクの脱皮・蛹化には十分な栄養状態であることが必要であり，捕食状況によって変態のタイミングを自ら調節，幼虫の期間を調整し，降水によって湿度が高くなる時期に蛹化することで生存確率を上げ，羽化のタイミングを調節し一斉に羽化することで種の保存につなげている。つまり捕食により十分な体重であること，降水により湿度が高くなることが，蛹化や脱皮の要因となっていることが推察できる。

　今後はさらにデータを増やして蛹化の臨界サイズと蛹化率を検証し，羽化につなげる飼育方法を確立したい。また，未だ解明されていないアリジゴク時点での雌雄の判別について明らかにしたい。

作品について

　黒杭さんの研究は，アリジゴクの観察を通し，その生態と成長過程，生存のためのしくみを明らかにするものでした。

　この研究は，たくさんの文献をあたり，様々な専門の先生方を訪ねてアドバイスを頂きながら，アリジゴク114匹を捕獲し，その全てを撮影して画像解析ソフトで頭部幅を測定し，60匹のアリジゴクに別々の個室を作ってやり，毎日全て観察して記録をつけ，週ごとに全てのアリジゴクの体重測定と世話をし，それを100日もの間休まずに続けるという凄まじい努力の成果です。実際には，飼育した全てのアリジゴクに番号を振った上で，各個体の蛹化日や羽化日，週ごとの体重や排泄物の量の記録，グラニュー糖巣材が繭に及ぼす影響，脱皮時の体色変化や死ぬときに黒変することなどの詳細な観察が報告されていました。紙面の都合で詳細な観察記録の多くを要約させて頂いたことを附記しておきます。

　もしこれが，単に1匹のアリジゴクを育てて観察した記録であったら……確かにそれも大切な科学的活動の一つではありますが，研究としては不十分です。もしそれで新たな活動や生態が発見されたとしても，「たまたまそのアリジゴクが，そうだっただけじゃないの？」と反論されてしまうからです。ですから，それがアリジゴクに共通する生態であると主張するためには，黒杭さんがやったように，十分な数のアリジゴクについて観察を行う必要があります。

　学術研究において，自分の調査したことを事実だと断じ，さらにそれが正しく客観的な事実であると認めてもらうためには，そのような苦労がつきものです。本来であれば，研究論文に携わる大学4年生やそれ以上になって初めて身近なこととなるのですが，黒杭さんは自分の足でそこにたどり着き，「アリジゴクの研究者」を始めています。類い稀なる興味の深さと行動力・継続力がないと，為し得ないことでしょう。

　「科学の芽」賞に輝いた黒杭さんの研究はもちろんのこと，高校生部門に応募された作品の中には，興味に基づいた独創性の高いテーマに始まり，学術研究としての価値を十分認められるような，科学的に誠実で緻密な，妥協のない観察・実験をしているものが多く見られました。

　若い研究者のみなさんの，これからの活躍を期待しております。

2023

岐阜市長良川堤防に生息するジャコウアゲハとホソオチョウの競合について

第18回
高校生の部

脇原 千颯　前田 蒼煌　浅井 大蓉　神田 晃尚／2年

松久 弘大　辻内 凜　中村 友哉　朝日 快成　佐藤 章翔／1年

[岐阜県立岐阜高等学校　自然科学部生物班]

ジャコウアゲハの幼虫食草は、減少傾向にあります。目立つ植物でもないため、多くの人の関心も得られないまま減少し、地域によってはジャコウアゲハは生存が厳しくなっています。更に、外来種との競合関係もあります。このようなジャコウアゲハの現状を、正確な発生消長を作成することで明らかにしようと思い研究を行っています。

I　研究の概要

■ 研究の動機・目的

アゲハチョウ科のジャコウアゲハ（図1）とホソオチョウ（図2）の幼虫は，ウマノスズクサ（図3）を食草とするため，競合の関係にある。ホソオチョウは朝鮮半島原産の外来生物であるが，定着できなかった地域もあり，この競合は激しくないのかもしれない。そこで，私たちはこれらのチョウの競合の実態を調べて，生息地のありかたを検討する目的で，研究を行っている。調査地は，これら2種のチョウとウマノスズクサが分布する，岐阜市長良川堤防である。前年度の調査では，この地のジャコウアゲハの個体数が減少していくことが予測された。これは競合の影響だろうか。行政が年2回調査地で行っている草刈りの影響も考えられた。

図1　ジャコウアゲハの雌

図2　ホソオチョウ
上：雌，下：雄

■ 実験方法

【実験1：野外調査】

野外での発生状況を調べるため，調査地でジャコウアゲハとホソオチョウ成体の飛翔数を継続的に調査した。

図3　ウマノスズクサ
栽培個体

【実験2：産卵数の比較】

ホソオチョウの産卵数は，1匹あたり約300個である。しかし，ジャコウアゲハの産卵数は不明瞭である。産卵数を詳しく知るため，両種の雌をウマノスズクサが置かれた蚊帳（縦180×横200×高さ145cm）（図4）内で産卵させた（図5・6）。この操作を3回繰り返した。産卵途中で死んだ雌は解剖し，体内の卵も数えた（図7）。

図4　ジャコウアゲハの産卵実験の様子

図5　ジャコウアゲハの卵

図6　ホソオチョウの卵

図7　解剖の様子

【実験3：蛹の糸の太さの比較】

ジャコウアゲハの蛹は，調査地周辺のコンクリート壁でよく見られる。一方，ホソオチョウは植物上で蛹になる。チョウ類は，蛹化時に口器から糸を吐出して，これで蛹を固定する。この糸はホソオチョウの方が切れやすく，蛹がよく落下することが

高校生の部

報告されている。昨年度の研究結果もそれを支持した。今回，光学顕微鏡でジャコウアゲハの糸（図8）を35本，ホソオチョウの糸（図9）を10本計測し，t 検定も行って蛹の落下しやすさとの関連を調べた。

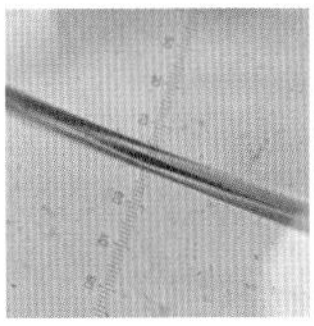

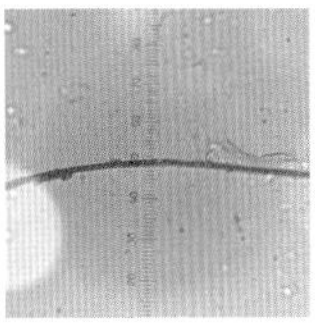

図8　ジャコウ　　図9　ホソオ
アゲハの糸　　　チョウの糸
（15 × 40 倍で撮影）

【実験4：ホソオチョウの羽化実験】

　時折，羽化不全後に死亡したジャコウアゲハを調査地で見かける。ホソオチョウも羽化不全を起こすのだろうか。ホソオチョウの蛹を次の3通りの方法でトレイに置き，羽化の様子を赤外線ビデオカメラで撮影した（図10）。

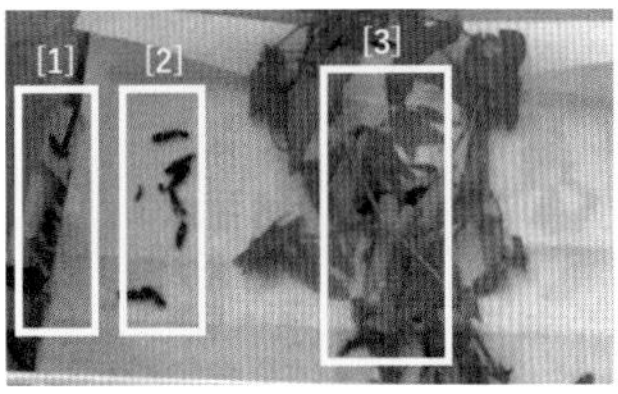

図10　ホソオチョウの羽化実験の様子

①蛹を壁に付けた状態で置いた。※蛹は，葉の裏などに
　固定されるので，その状況を再現した。

②蛹を底に直接置いた。

③蛹を底に直接置き，その上にウマノスズクサをかぶせた。※地表付近には，植物が
　生い茂っていることが多く，その状況を再現した。

【実験5：室内飼育個体と野外個体との比較】

　2種類のチョウの競合が食草の不足を引き起こし，それが成長に影響するのではないだろうか。そこで，両種の幼虫を高密度で飼育して，食草が不足しやすい状況を再現した（図11）。その室内飼育した39個体，野外採集した21個体の前翅長を測定して体の大きさの指標とし（図12），t 検定を行った。

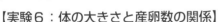

図11　高密度飼育の様子

【実験6：体の大きさと産卵数の関係】

　産卵数は，体の大きさと関連があるのだろうか。そこで，2種類のチョウの雌の前翅長と産卵数との関係を調べた。また，飼育個体と野外採集個体でそれぞれ t 検定を行った。

図12　前翅の計測場所（ジャコウアゲハを例にして）

■ **実験と結果**

【実験1：野外調査】

　調査中，ホソオチョウの成体の最初の発生は，ジャコウアゲハよりも1週間早かった。また，その発生期は調査期間に4回あった（図13）。ジャコウアゲハの成体は，一部期間を除き調査毎（ごと）にみられたが，個体数は少なかった（図14）。

　草刈りは，調査期間中では7月4日に行われた。草刈り直後には，ジャコウアゲハは幼虫，蛹，成虫がみられたが，死亡した幼虫が多数みられた。ホソオチョウは，成体と幼虫がみられた。ウマノスズクサは成長が速く，草刈り後も20日間で60 cmま

で再生した。草刈りの1週間後にはジャコウアゲハ，1か月後にはホソオチョウの成虫が発生したが，この時後者の発生に要した期間は，通常よりも長かった。

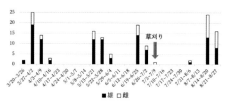

図13　岐阜市長良川堤防でのホソオチョウの発生
（2023年）

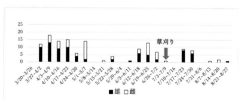

図14　岐阜市長良川堤防でのジャコウアゲハの発生
（2023年）

【実験2：産卵数の比較】

ホソオチョウの成体は弱く，実験では産卵が完了する前に死んだため，死んだ雌の体内の卵数も加算した結果，産卵数は81個〜293個と個体差が大きかった。ジャコウアゲハの産卵数は，48個と47個の2例だが，ホソオチョウよりも少なかった。

【実験3：蛹の糸の太さの比較】

糸の太さの平均は，ジャコウアゲハが18.7 μm，ホソオチョウが7.7 μmであった。両者には有意な差があった（$t(42) = -4.6538$，$p = 3.72 \times 10^{-5}$）。

【実験4：ホソオチョウの羽化実験】

検証した全18個体が正常に羽化した。①や③の場合も，最終的にウマノスズクサや壁にのぼって翅を展開することができた。

【実験5：室内飼育個体と野外個体との比較】

ホソオチョウでは，前翅長の平均は室内飼育個体が31.048 mm，野外個体が35.423 mmであった。両者には有意な差があった（$t(58) = -6.1777$，$p = 6.93 \times 10^{-8}$）。一方，ジャコウアゲハでは，有意な差はなかった（室内飼育10個体，野外採集14個体，$t(18) = 1.6106$，$p = 0.1246$）。しかし，ジャコウアゲハは，高密度で飼育すると非常に大きな個体と小さな個体に分かれ（図15），小さな幼虫は途中で死亡しやすかった。また，このような飼育状況では，共食いが観察された。

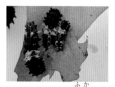

図15　同じ日に孵化（ふか）したジャコウアゲハの幼虫

【実験6：体の大きさと産卵数の関係】

図16と図17の赤は野外個体，青は高密度で室内飼育した個体を示す。標本は少ないが，ホソオチョウでは前翅長と産卵数に相関があるように感じられる。ジャコウアゲハでは相関はないものの，産卵数の平均は野外個体が47.5個に対し，飼育個体では9.7個と少なかった。中には卵をもたない個体もいたが，1例のみ50個だった。

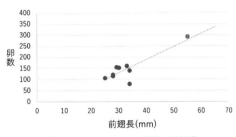

図16 ホソオチョウの卵数と前翅長

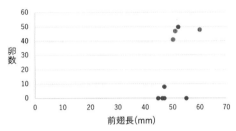

図17 ジャコウアゲハの卵数と前翅長

■ 考察

ホソオチョウは，羽化不全を起こしにくく雌1個体当たりの産卵数も多いことから，繁殖力が強いことが示された。そのため，ジャコウアゲハとの競合では，ホソオチョウの方が有利だろう。ジャコウアゲハは草刈りにより食草が不足すると，個体数が減少することが報告されている。調査地でも草刈り後に幼虫が多数死んでいた。一部は数多く産卵できることも分かったが，繁殖個体の減少は全体の産卵数に影響する。また調査地は，一部が2022年に防草シートで覆われてしまった（図18）。以上から，調査地のジャコウアゲハの個体数の減少は，競合や草刈り，そして防草が影響しているとみられる。

図18 防草シートに覆われた調査地

調査地でのジャコウアゲハの個体群の維持には，ホソオチョウの駆除が必要だと結論付けた。これには，ホソオチョウの食草を取り除く草刈りが有効だが，ジャコウアゲハも影響を受ける。ただし，今回の草刈りに関しては，2種類のチョウに壊滅的な影響はなかったと考えている。理由としては，ウマノスズクサは再生が早いことや，草刈りの影響が蛹や成虫にはあまりないことが挙げられる。

ホソオチョウの蛹が落ちやすいのは，あらかじめ広い空間がなくても羽化可能だからではないだろうか。蛹が多い時期に草刈りをしても，効果はあまりないだろう。

以上より，ホソオチョウを駆除するには，本種の多くが幼虫で，ジャコウアゲハの多くが蛹の時期に草刈りを行うのが良いと考えた。地域によっては，ホソオチョウを一斉に駆除したことで，その後の発生を抑えることができた事例もある。したがって，時期を定めて食草を除去し，ホソオチョウの幼虫を一斉に駆除するこの方法も，その後の発生を抑制する効果が期待できるのではないか。

■ さらに研究したいこと

昆虫の発生は気温等の影響も受けるため，それらも考慮するなどしてデータを充実させたい。そして，行政に具体的な草刈りの方法を提案できればと考えている。また，ウマノスズクサは地域によっては絶滅が危惧されている。私たちの地域でも，多くの人にそのことを知ってもらい，ジャコウアゲハの生息地を守りたい。

高校生の部

作品について

　ウマノスズクサには有毒成分が含まれています。しかし，その毒をものとも
せずに食べるすごいチョウがいる……。それが，ジャコウアゲハやホソオチョ
ウです。彼らのさらにすごいところは，幼虫期に摂取した有毒成分を成虫になっ
ても体内に蓄積している点。毒を "身にまとう" といった感じです。そんな彼
らには捕食者はあまりいません。ジャコウアゲハは，体色が黒や褐色で赤い模
様も見られます。日本には，ジャコウアゲハに似た色合いのチョウやガが複数
種います。どのような種がいるか，調べてみてください。これらは，天敵が少
ない種に似せて攻撃を逃れる，ベイツ型擬態の好例です。どのようにして毒草
に適応したり，毒虫に擬態する種が出現したのか？　私は，昆虫類の系統進化
を専門としているため，つい進化の過程に思いをはせてしまいます。

　ウマノスズクサは，日当たりの良い所を好みます。本来の日本の植生は，大
半が森林でしたが，人々が古代から森林を切り拓いていったことで，ウマノス
ズクサもそれを食草とするジャコウアゲハも，分布を拡大したのかも知れませ
ん。今日，ジャコウアゲハは"里のチョウ"といえるでしょう。一方のホソオチョ
ウは，その名が岐阜蝶（ギフチョウ）という美麗な在来種に似ています。しかし，美しいか
らと言って各地でむやみに放蝶するのは控えましょう。

　ところで，私は熱帯地域が大好きです。そこには変わった特徴をもつ生物が
多く，刺激的です。しかし，私は「遠くを見る前に，足元をよく見る」姿勢を
大切にしています。身近な所・ものにこそ多くの基本的な発見があるのです。
この研究では，すぐそこにいるチョウたちの生活史や競合，種内の関係などを
考慮した，社会にも受け入れられるような外来種の駆除方法の確立を目指して
います。地域への愛着を感じられた点が好印象でした。

　また，この研究では，チョウの解剖を行っていました。チョウの体は細く，
体内の卵を探す微細な解剖には経験と根気が必要です。昆虫の解剖を数多く経
験した身分として，高校生たちが解剖をこなしたこと，驚きました。

　ジャコウアゲハ生息域の保全とホソオチョウの駆除の実現には，今後もフィー
ルドで地道な調査を続ける必要があります。さらなる成果を期待しています。

高校生の部

SCIENCE

第Ⅱ編
「科学の芽」賞を受賞した
先輩研究者からのメッセージ

「科学の芽」賞
表彰式・発表会での講演を通して

「科学の芽」賞実行委員会

第 17 回 2022 年 12 月 17 日（土）と第 18 回 2023 年 12 月 23 日（土）に筑波大学にて「科学の芽」賞表彰式・発表会を行いました。その際に「科学の芽」賞を過去に受賞した先輩受賞者に，「科学の芽」賞を受賞した頃の研究体験と現在についてのミニ講演会をしていただきました。

4 名の講演は，自然科学に興味をもつきっかけとして，この本を手に取って下さった皆様にもお伝えしたい内容でした。そこで，改めて 4 名に「「科学の芽」賞を受賞した先輩研究者からのメッセージ」として執筆を依頼し，紙面に掲載することにしました。

第 5 回受賞者の岡崎さんの講演

第 8・9・11 回受賞者の田渕さんの講演

第 1・3・4・6 回受賞者の永原さんの講演

第 2 回受賞者の伊知地さんの講演

「研究者」という仕事
～「科学の芽」賞からひろがった世界～

岡崎　めぐみ

［東京工業大学　理学院　化学系　助教］

　私にとって，理科は中学生頃まで苦手科目だった。植物を顕微鏡で観察したり，身の回りにある物体の重心を調べたりする実験は面白かったけれど，テストでは自分の考えを上手く表現できず，低い点数ばかり取っていた。

　転機が訪れたのは，中学１年生の終わり頃，友人が化学部の見学に誘ってくれたことである。理科の成績が悪い私にとっては化学部入部に対する恐怖心もあったが，試しに入部することにした。化学部では，個人が興味のある化学反応や実験について，自分なりに「研究」し，その成果を文化祭で発表する活動を行っていた。入部直後，顧問の先生から「君，何やりたい？　爆発や危険なことさえしなければ何しても良いよ」と突然言われた私は，直近の授業で習った「酸化銅の炭素による還元反応」について実験を始めることにした。これが私にとっての初めての「研究」であった。

　酸化・還元反応は必ず同時に起こる。酸化銅に炭素を加えて加熱すると，以下の化学反応式（1）の通り，炭素が二酸化炭素へと酸化され，酸化銅は銅へと還元される。

$$2CuO + C \rightarrow 2Cu + CO_2 \quad (1)$$

　市販の酸化銅に炭を混ぜて，ガスバーナーで加熱すると，確かに銅らしき赤っぽい粉末が得られた。しかし，何回か同じ実験を行ったところ，用いた炭の種類や，加熱時間によって，赤色粉末の割合が毎回異なることが確認された。「毎回同じ実験をしているのに，反応の進み方が変わるのはなぜだろう？」と疑問を持った私は，①炭に含まれる水分量の影響と②反応中に充満させた気体の影響について調査した。その結果，湿った炭を用いると反応が進みやすくなり，さらに反応中に一酸化炭素が充満すると最も反応が進行することを突き止めた。つまり，酸化銅の還元反応が進行するためには，「水」と「一酸化炭素」が必要であると考えられる。興味深いことに，上に記した化学反応式（1）では水も一酸化炭素も登場しない。しかし，実際に反応が効率的に進行するには，化学反応式以外の物質も反応に関与してくることが実験から確認された。たった一行の化学反応式でも，実際には様々な物質が複雑に絡み合うことで，目的の反応が進行する。このことが非常に面白いと感じ，私はさらに研究を進めた。それらの結果をまとめて高校１年生の時に「科学の芽」賞に応募したところ，第５回「科学の芽」賞に選出された。理科嫌いだった私を指導してくださった当時の化学科の先生方には，今でも本当に感謝している。

「科学の芽」賞を受賞した後は，ありがたいことに大変多くの発表の機会に恵まれた。通っていた学校がスーパーサイエンスハイスクール（SSH）指定校だったこともあり，SSH合同発表会や，国内で開催された国際学会での口頭発表など，おそらく化学部で研究をしていなかったら参加しなかったであろうイベントに数多く出席させていただいた。それらの活動では，私自身の発表に対し，学外の生徒や先生からたくさんの質問とコメントをいただいた。学校の中で一人で実験を進めているだけでは到底思いつかないような新たな視点も得られ，大変参考になった。同時に，同年代の他の研究発表を聞く機会も多くあり，研究の進め方，データの解釈の仕方など勉強になることも多かった。テーマは違っても，何か一つの物事に対して研究を進めている多くの学校の生徒から，言葉では表せないほどの刺激をいただいたことは確かである。これらの経験はまさに私自身の「世界がひろがった」時期であり，現在の職業（研究者）にも繋がった貴重な経験だったと感じている。

　どんな研究も，最初は個人の興味から始まる。こちらの書籍に掲載されている「科学の芽」賞受賞作品もすべて，一人一人の「なぜだろう？」という素朴な疑問からスタートしたことが見受けられる。研究を始めるにあたり，高尚な考えは必要ない。最初に抱いた「なぜだろう？」を解決するべく，観察や実験を重ねると，新しいことがどんどん分かってくる。そこで分かったことを，周りの家族や友達，学校の先生に伝えると，きっと「すごいね」「がんばったね」といった賞賛のコメントだけでなく，「ここはどうなっているの？」「自分はこう思うけどどう思う？」といった質問が返ってくる。その質問がきっかけとなって，自らの研究をさらに深掘りすることができることが多い。一人で解決できないような難問なら，友達や先生の力を借りて，一緒に研究していくこともできる。最初は「一人」から始まった研究も，周囲との関わりを持っていくことで，「皆で」進めていくようになる。研究の規模が大きくなっていくことで，解決できる疑問や問題の規模も大きくなる。このように，研究はどんどん大きく成長できるのである。「科学の芽」賞を受賞した作品も，一から三人で行われている研究が多いが，今後さらに多くの人と研究内容を共有していくことで，さらに面白い研究になっていくことができるだろう。研究に終わりはない。今研究をしているすべての皆さんが，今後も研究を続けていくことで，皆さん自身も研究も成長し，活躍されることを期待したい。

困難だからこそ挑戦しよう

田渕　宏太朗

［筑波大学大学院 構造エネルギー工学学位プログラム 2 年］

　「わからない」「難しすぎる」「どうやればいいんだ」研究をしていて，こんなふうに思ったことはないだろうか。私はよく思う。実験や数値解析で得られたデータと睨めっこした時，専門書の数式を眺めた時，思いついたアイデアを実行に移そうとした時。しかし，ブルーな気持ちになった時こそ，「困難だから挑戦しよう」と思うようにしている。なぜなら，挑戦したことで結果を出せた時の喜びは何ものにも代え難いからである。

　私が「科学の芽」賞を受賞した時は，コンピュータの冷却などに使われているプロペラの高効率化に関する研究を行っていた。プロペラの効率はプロペラ周りの気流と綿密に結びついている。そのため，プロペラの気流を変えるために形状を変えることはよく行われている。これに対して私は，「ゴルフボールのディンプルのように，プロペラ表面の流れを変えることでプロペラの効率を上げられないか？」と考えた。研究を進めると，プロペラ表面の流れを可視化するために風洞が必要となった。風洞とは「きれいな」流れを生み出す装置で，流れを扱う研究ではよく用いられる実験装置の一つである。しかし，一人の中学生が簡単に利用できるような風洞などはなかったため，自分で風洞を作ることにした。さまざまな資料をもとに作成した風洞装置は大学や研究所のものには及ばない完成度ではあったものの，自分が目的とする気流を生成するには十分なものであった。この風洞を用いて行った実験からは非常に多くのデータが得られ，自身の研究を大きく進めることができた。それだけではなく，実験に必要な装置を適切に設計して動かすというスキルを身につけることができた。

　筑波大学に入学後は Project Lazarus というプロジェクトを立ち上げ，液体燃料ロケットエンジンの開発を行った。液体燃料ロケットエンジンは他の種類のロケットエンジンに比べて開発が難しい。しかし，どうせ取り組むならより難しいことに挑戦したいという一心からこのプロジェクトを始めた。液体燃料ロケットエンジンでは，液体の燃料と液体の酸化剤を霧状に噴き出す必要がある。燃料を霧状に噴き出すことはとても難しい技術だが，さまざまな実験を繰り返すことで適切な条件と形状を見出すことができた。完成したロケットエンジンは，1.3 kN という推力（だいたい 100 kg のものを持ち上げられる力）を生み出した。自分たちで作ったものが轟音を立てて動き出すのを見た瞬間，体の底から喜びに震えたのはいうまでもない。この時に得た知

識や技術は，現在，私が取り組んでいる研究を支えるものとなっている。

　ここでは私が困難にぶつかり，その結果得られたものを簡単に共有した。困難なことに挑戦することで得られるものがとても多くあった，ということを感じてもらえれば幸いである。最後に「困難だからこそ挑戦する」という心構えから成し遂げられた人類の月面着陸について紹介したい。人類が月に降り立つ約7年前，ケネディ元アメリカ合衆国大統領はテキサス州のライス大学において「The Moon Speech」と呼ばれるスピーチを行った。これはアメリカ合衆国が今後10年以内に月に人類を到達させることを宣言したスピーチである。

　"We choose to go to the moon in this decade and do the other things, not because they are easy, but because they are hard.（私たちがこの10年のうちに月に行き，さらなる目標に取り組むことにしたのは，それらが容易だからではなく困難だからです）"

　ケネディ元大統領のスピーチを聞いた多くの人は，月面着陸という目標が非常に無謀なものだと思っただろう。しかし，「困難だからこそ挑戦する」という心構えがあったからこそ，人類は月に降り立つことができたのではないだろうか。また，その過程で多くの科学技術が成熟し，その後の科学の発展に繋がったのではないだろうか。児童・生徒の皆さんの心に「科学の芽」が芽生えた暁には，この心構えを持って困難に挑戦し続けていってほしい。それが自身の能力，ひいては人類の科学の飛躍に繋がるのだ。

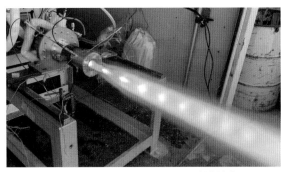

図1　開発したロケットエンジンの燃焼試験
（㈱植松電機のご協力のもと実施）

チョコレートと「科学の芽」

永原　彩瑚

［株式会社ロッテ 中央研究所 チョコレート研究一課］

皆さんは好きなお菓子はあるだろうか。私は子どもの頃から，チョコレートが大好きだ。疲れたとき，小腹がすいたとき，自分にご褒美をあげたいとき，友人とおしゃべりしたいとき，いつもチョコレートを口に入れ，広がる甘さに幸せを感じてきた。そんな私は今，株式会社ロッテでチョコレートの研究を仕事にしている。

チョコレートの研究と聞いて，どのような仕事を思い浮かべるだろうか。私の主な仕事は二つある。一つ目は，新商品やリニューアル品の品質を設計すること。理想の味や食感を追い求め，0.01％の単位で原料の量を調整したり，産地や製造方法で味の違う原料を使い分けたりしている。二つ目は，チョコレートの科学的な特徴を明らかにし，製品開発に繋げること。まだ解明されていない不思議な現象について，条件を変えて作ったサンプルを比較したり，簡単なモデルを作って検証したりして，少しずつ明らかにしていく。研究は，皆さんの研究と同じように，観察して不思議なことを見つけるところから始まる。

例えば，なぜ夏に一度溶けてしまったチョコレートを冷蔵庫に入れて固めると，白い点が浮かんでぼそぼそとした食感になってしまうのか。きっと一度は経験したことがあるだろう。こうなるとなめらかなくちどけがなく，元通りのおいしさを味わうことはできない。

実は，この現象は簡単な実験によって考えることができる。沸騰したお湯に食塩を限界まで溶かし，これを冷やすと徐々に食塩の結晶ができる。このとき，冷やし方を変えると結晶の大きさや見た目が異なることに気付く。保温しながら静置して冷やすと粒が大きく透き通った結晶が，たまにかき混ぜながら氷冷すると細かく白っぽい結晶ができる。結晶は，食塩に含まれるナトリウムと塩素の原子が整列することでできる。ゆっくり冷やすと初めに並び始めた原子にならって，多くの原子が規則的に整列するので結晶が大きくなる一方，混ぜながら急冷すると，あちこちで思い思いの向きで整列し始め，小さな結晶が多くできるのだ。

チョコレートでも同じように結晶の整列の仕方がカギとなる。チョコレートは，ココアバターなどの油が細かい結晶となって集まり，一部に砂糖や乳などの粒が分散した構造をしている。この油の分子も，食塩中のナトリウムと塩素のように規則的に並ぶ性質がある。夏に溶けてしまったチョコレートを冷蔵庫に入れて冷やしたときには，

一部の溶けた油が，まだ整列している分子にならってゆっくり整列しなおし，元の細かい結晶よりも大きな結晶を作る。これが表面に現れる白い点の正体で，ぼそぼそした食感の原因だ。

　では，なめらかなチョコレートはどのようにできるのだろうか。なめらかなチョコレートを作るために，職人も工場も「テンパリング（温調）」という同じ作業をしている。程よい速度で冷やして少し結晶ができた頃に，温度をわずかに上げることで，綺麗に並ぶのを邪魔し，あえて細かい結晶がたくさんできる状況を作っている。粒の大きい食塩を食べるとざらざらし，粉のような食塩はすっと溶けるように，細かく均一な結晶を作ったチョコレートは，同じ温度で一斉に溶けて液体になるので，くちどけがなめらかでおいしいのだ。

　さらに言えば，油の種類を変え，分子の並びやすさや，どれだけ隙間なく並ぶかを変えることで，結晶の溶け方を操り，思い通りのくちどけにできる。夏に売っているチョコレートはパキッと硬いものが多く，冬には柔らかなチョコレートが販売されるのは，この技術を活かしている。ぜひ様々な条件で冷やし固めて，見た目や食感を比較してみてほしい。

　このように，一つの原料に着目しただけで，チョコレートのおいしさに繋がる「科学の芽」が研究できるが，実際の商品はもっと原料が多く複雑である。現在私が開発を担当しているクランキーは，サクサクした食感が魅力的な商品で，サクサク感を出しているのはモルトパフである。ここに「科学の芽」を見出し，原料の種類や量を変えることで食感をコントロールできるのではないかと考えて，研究を進めている。

　最後に少しだけ，子どもの頃に研究してきた「科学の芽」との関連を考えたい。いつも「科学の芽」は身近なところにあったが，研究の形は発展してきたと感じている。小学生の頃は，庭で咲いていた一輪ずつ見た目が違う百日草の花，遊びに行った海で怪しげな動きをするコメツキガニに興味を持ち，疑問を解決した。中学生になると，家で出る野菜くずを再利用すべく，野菜くず紙を製作した。大学時代は，地球温暖化の問題にアプローチできる触媒に興味を持ち，新しい化合物の合成と評価に取り組んだ。徐々に「科学の芽」の研究の結果を誰かの役に立てたいと思うようになってきたと思う。そして今は，これまでの研究で身につけた考え方や実験方法を活かしながら，日々チョコレートと向き合い，食べた皆さんが笑顔になれるよう試行錯誤している。皆さんにも，「科学の芽」を見つけ，育てて，新しい花を社会に咲かせる研究者になっていただきたいと願っている。

「科学の芽」から始まる研究と
研究の中の「科学の芽」

伊知地　直樹

［東京大学 生産技術研究所 特別研究員］

　小学5年生の夏休み，私は図書館で借りた『コップの中の大火山』（佐藤早苗 / 文・写真 大日本図書）という本に書いてある実験を試みた。本来はコップの中に水を入れたのち，厚い氷の層ができるまで数時間待つ必要のある実験だったが，辛抱ができず1時間ほどで取り出してしまった。すると取り出したコップの内側には本には書かれていない美しい氷の模様ができており，「科学の芽」賞に応募する研究を始めるきっかけになった。その後，中学や高校でも様々な自由研究を行ってきたが，その多くは『物理の散歩道』（ロゲルギスト / 著 岩波書店）などの本に書かれている内容を自分で試してみたことがきっかけであった。偶然に条件を間違えてしまったり意図的に違う条件を試してみたりした際に本に書かれている内容とは異なる結果が出てきた時，その原因を考えることがいつも研究のきっかけとなっていた。

　現在私が大学で行っている研究は，個人で行う自由研究では扱うことの難しかった装置や試薬を用いているが，実験を始めるきっかけや研究の進め方は多くの部分で共通している。①見聞きして気になった内容を自分でも試してみる，②条件を変えて結果がどのように変わるかを確かめる，③新しくわかったことをさらに追究する，という流れは昔も今も変わっていない。違いといえるのは，当時は図書館で借りた本だったものが今は学会で聞いた発表や読んだ論文に置き換わっていることぐらいではないだろうか。

　きっかけが変わらない一方で，大きく変わったこともももちろん存在する。私にとっては高校までの自由研究と現在行っている研究との一番の差異は，研究の準備や下調べに費やす時間と実際に手を動かす時間，そしてそれをまとめる時間の割合かもしれない。当時の自由研究ではそのほとんどの時間を実験や観察に費やしており，下調べ：実験：まとめに費やす時間はおおよそ1：7：2程度であった。一方で，現在は実際に手を動かして実験をする時間に対し，実験の前に行う関連研究の調査や実験手法の下調べには10倍以上，研究結果をまとめるのには20～30倍以上の時間がかかっているだろう。

　多くの場合，研究で最も楽しい部分は疑問が解けた瞬間やそこに至る過程である。しかし，自分にとって謎が解けたと信じるに足る結果が得られた後には，その結果が本当に正しい事を示すための徹底的な証拠集め，そして結果をわかりやすく人に伝え

るために論文を書くという非常に根気のいる作業が待っている。しかし，研究における「科学の芽」は多くの場合他の研究者による論文がきっかけとなっており，その根気のいる作業こそが世界中で新しい「科学の芽」を生んでいる。「科学の芽」の喩えに倣うと，文献調査は芽が茎や花になるために必要な水や養分に，花が咲いた後に行う論文の執筆は新たな芽を生む種を作る過程に喩えられるのかもしれない。

　「科学の芽」は，大きな研究テーマを決めるときだけではなく，研究途中の随所に現れる。例えば，私が大学院で実験をしていた時，いつもは部屋に入ってすぐに始める実験を数時間装置の隣で取扱説明書を読んでから始めたところ，いつもよりも高い測定精度が得られたことがあった。のちに注意深く条件を変えながら実験を繰り返してみると，装置の近くに人がいると体温で装置の金属部分がわずかに膨張することが結果に影響を与えていた。その日は長い時間かけて説明書を読んでいる間に温度が安定したことが高い精度の要因だったのだ。このような研究途中に現れる小さな「科学の芽」はありとあらゆる場所から生えてくる。時として最終的な論文には反映されないこともあるが，中には大きなテーマそのものよりも印象に残っているような「芽」もある。

　「科学の芽」には，たくさんの花をつける大木に育つものから小さな花が一輪だけ咲くものまで様々な種類があり，そのどれもが育てる過程や花の咲く瞬間はとても楽しいものである。一方で，同じ花が既に咲いている場合や自由研究の賞に応募はしづらいもの，中には原因が解き明かせなかったものもあるため，表に出てくるものはそれらのほんの一部ではないだろうか。自分が今までに見つけた花やその時点では花になれなかった茎たちは，大事に保管しておくことで数年後・数十年後に新しい芽を生み出してくれるかもしれない。

SCIENCE

第Ⅲ編
資料編

朝永振一郎博士の業績とひとがら
～誕生から小学校・中学校時代まで～

「科学の芽」賞実行委員会

　朝永振一郎博士は，筑波大学の前身である東京文理科大学と東京教育大学で黎明期の素粒子物理学の研究に従事し，戦中・戦後の困難な時代に，超多時間理論とくりこみ理論を建設して光と電子の相互作用を解明しました。1965年にはこの功績によりノーベル物理学賞を受賞しました。また博士は，東京教育大学の学長ならびに附属光学研究所長を務めました。このように縁とゆかりの深い朝永博士の業績を讃え，筑波大学には朝永記念室が設置されています。それでは，この記念室の資料を中心に，朝永博士の誕生から中学校卒業までを振り返ってみましょう。

（筑波大学朝永記念室展示パネルより）

物理学をめざして

友だちと図書館に行くことをおぼえ、『理科12ヶ月』の続きを見つけて、むさぼり読んだ。
その本から、釘に被覆銅線を巻きつけて電信機をつくることを学んだ。

銀林小学校卒業のとき。
中央が朝永振一郎。

小学校ではデモ実験、家では『理科12ヶ月』と『理化少年』で実験
誕生から小学校卒業まで

小学校では数学が好きだった。先生が、お芋で立方体、こうこう切ると8つの立方体。体積は1/8だ。理科の先生はデモ実験。酸素の中で針金を燃やした。きれいだった。文部省で決めたやり方でないのを実験的にやってみる。
先生に自由にやらせるのが校長の主義だった。
4年生のとき『理科12ヶ月』を父が買ってくれた。「毎月1冊ずつ読め」と。実験の仕方が書いてあった：紙に梅酢をぬって便所で小便をかけると色が変わる、など。雑誌「理化少年」からも知恵を借りた。幻灯板の作りかたなど。

　筑波大学朝永記念室を訪ねると，初めに上のパネルが目に入ります。朝永先生は，1906（明治39）年3月31日，哲学者の朝永三十郎博士の長男として東京の小日向三軒町（現在の文京区小日向）に生まれました。その後，父の京都帝国大学（現在の京

1906年3月31日、東京に生まれた。
父は三十郎、翌年、京都大学教授。一家は京都に移るが、1909年、父の海外留学で再び東京へ。誠之小学校入学。1年の2学期、父帰朝し京都の錦林小学校に転入。京言葉に悩まされる。

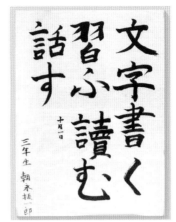

文字書く
習ふ讀む
話す
十月一日
三年生
朝永振一郎

（筑波大学朝永記念室所蔵）

都大学）着任に伴い一家で京都に移住。父の海外留学で東京に戻り，誠之小学校（東京都文京区）に入学。そして父の帰国で再び京都に戻り，錦林小学校に転入しました。

　では，どのような小学生だったのでしょうか。朝永先生本人によれば，泣き虫で，病気がちで，京都のことばがわからず学校に行くのを嫌がって両親を困らせたそうです。また，勉強では数学・理科が好きで，習字が嫌いだったそうです。小学校2年生のとき，習字の先生に「お前はなんてこんなへんな字を書く」といわれて学校に行くのが嫌になりましたが通い続けて，「乙の下」や「丙の上」が「甲の下」になったそうです（当時の成績は上から，「甲」「乙」「丙」…）。右上の画像は，小学3年生のときに書いた習字ですが，みなさんはどう思いますか。

　パネルに書かれている『理科12ヶ月』『理化少年』は子ども向けの科学雑誌で，父に買ってもらったものです。これをネタに，自分の工夫を加えて，さまざまな実験を試みたそうです。また，学校の先生からも大きな影響を受けたようです。それでは，どんな実験を体験し，そして挑戦したのか，いくつか紹介しましょう。

● 先生が運動場や体育館に児童を集め，酸素を発生させて鉄の針金などを燃やして見せたり，水素を詰めたゴム風船を飛ばしたり，物理や化学のデモンストレーション実験がよく行われた。

● 体が弱くて学校を休んだときに，担任の先生が補習に来て，長さを半分にするとどうなるのかを，立方体にした芋を包丁で切って，小さなサイの目が8つできるのを見せて，ほら8分の1になるだろうと教えてくれた。

● 小学3年の頃，節穴がある引出しを立てて，その前に紙のスクリーンを置いて，ピンホールカメラをつくった。あるとき，拾った虫めがねと組み合わせてみると，スクリーンの上に，「前より小さいが，驚くばかり鮮明な像がくっきり現れた」。
（朝永先生の随筆『私と物理実験』にいくつか紹介されています。筑波大学特命教授の金谷和至先生にまとめてもらいました。）

父の書斎は子供たちに立入禁止だったが振一郎は留守を狙って忍び込んだ。マイエルの百科事典の絵を見るためだ。大人になりかける時代には、自分の生理やヴィナスに関する好奇心をこの本がみたす役をした。

後列左から:振一郎、三十郎(父)、大枝益賢(母方の叔父、三高在学中寄寓)
前列左から:しづ(姉)、綾子(妹)、隆二郎(弟)、ひで(母)

物理の世界は何と不思議な! こういう研究ができたら

中学時代

1918年、京都府立第一中学。「紙にいろんな三角形を描いて角度を測って足してみろ」と先生。新数学教育を実験的にやった。
家では理科遊び。顕微鏡を買ってもらった。倍率上げたくてガラスをガスの火で熱して円いレンズを作った。倍率300倍! ツリガネ虫がよく見えた。
中学5年。アインシュタインが京都に来て講演。わからないながら石原 純『相対性原理』などを手にした。物理の世界は何と不思議な! こういう世界の研究はすばらしいと思った。

（筑波大学朝永記念室展示パネルより）

　次に，筑波大学朝永記念室に展示されている中学時代のパネルを紹介しながら，中学時代を振り返ってみます。京都府立第一中学に入学早々，病気がちな朝永少年は1学期間学校を休学しました。その間，医者の許しが出ると寝床の上に座って，ボール紙やご飯粒の糊を使っていろいろな工作を行っていたそうです。

　1年後に後輩として湯川秀樹先生（1949年に日本人として初のノーベル物理学賞を受賞）が一中に入学してきました。湯川先生は中学を早期終了したため，第三高等学校と京都帝国大学理学部では同級生となり，互いに切磋琢磨し二人は偉大な科学者になりました。一中・三高時代は「生徒諸君を紳士として扱う」という自由な校風の下，実験を取り入れた手足も動かすユニークな勉強が行われていたとのことです。それでは，授業の様子と朝永先生の中学時代のエピソードをいくつか紹介しましょう。

京都府立一中3年生のとき，
左はしが朝永少年
（筑波大学朝永記念室所蔵）

●朝永少年が数学の授業で特に印象に残っているもの

　・紙でいろいろな三角形をつくり，実際に角度を測って足し合わせるとだいたい180°になった。

　・大きさの違ういろいろな丸い筒を用意し，糸でまわりの長さを測って筒の直径で割ると，だいたい同じ比率になった。

　・1歩の長さを調べておいて，歩いた歩数から距離を見積もり，巻尺で測った距離と比べてみた。

　・電信柱の頂上までの角度を測って，高さを計算してみた。

●幻灯機をつくったが大きなレンズがなかったので，フラスコに水を入れて代用してうまくいった。次に，幻灯板も自作しようと思った。（幻灯板は透明なガラスの上に画像を焼き付けたもので，それを通して光をスクリーンに大きく映す装置が幻灯機）試行錯誤の末，寒天に青写真の薬をしみこませて乾かし，写真ネガを焼きつけてみると，予想以上に鮮明な青写真ができたので，友達を集めて試写会を行った。

●おもちゃの顕微鏡の倍率を上げるために，ガラス管の切れはしをガスで溶かしてガラス玉をつくり，対物レンズにしてみた。倍率が200〜300倍くらいになって，古井戸の水の中にいたツリガネムシがよく見えた。

●アスピリン錠の空きビンに鉛を入れ，針金を入れて溶かし，ビンを筒としてピストルをつくった。ビンの底を抜いてコルク栓をはめ，ガラス管を2本差し込んだ。ガラス管の一部を細くくびって玉を入れると弁になり，小さな押上げポンプとなった。（以上のエピソードも，金谷和至先生にまとめてもらいました。）

　中学5年のとき，アインシュタインが京都にも講演に来るといってジャーナリズムが人々の興味をかきたてました。興味と関心を持った朝永少年は，わからないながらも『相対性原理（石原純著）』を読み，時間と空間が観測者にとって相対的であることや，4次元の世界，非ユークリッド幾何学等を知り，物理とはなんとふしぎな世界なんだろう，これを研究してみたいと思ったそうです。

《参考文献》
・朝永振一郎. 鏡の中の世界. みすず書房, 1965
・松井巻之助編. 回想の朝永振一郎. みすず書房, 1980
・江沢洋編. 科学者の自由な楽園. 岩波文庫, 2000
・湯川・朝永生誕百年企画展委員会編集　佐藤文隆監修. 素粒子の世界を拓く　湯川秀樹・朝永振一郎の人と時代. 京都大学学術出版会, 2006
・「科学の芽」賞実行委員会編集　永田恭介監修. もっと知りたい！「科学の芽」の世界PART 2, PART 5, PART 8. 筑波大学出版会, 2010, 2016, 2022

朝永振一郎博士　略年譜

1906（明治39）年	3月31日　哲学者朝永三十郎の長男として東京で生まれる
1913（大正2）年	一家、京都に移る
1918（大正7）年	京都府立第一中学校（現洛北高校）に入学、
	病気のため一学期間休学
1923（大正12）年	第三高等学校に入学
1926（大正15）年	京都帝国大学理学部に入学、物理学を専攻
1929（昭和4）年	京都帝国大学卒業、京大副手
1932（昭和7）年	理化学研究所に入所、のちに仁科研究室研究員
1937（昭和12）年	ドイツ・ライプチヒ大学に留学、
	ハイゼンベルクのもとで「原子核理論」の研究
1939（昭和14）年	帰国、理学博士「核物質に関する研究」
1940（昭和15）年	結婚
1941（昭和16）年	東京文理科大学（その後東京教育大学を経て現筑波大学）教授
1943（昭和18）年	「超多時間理論」発表
1944（昭和19）年	東京帝国大学理学部講師
1946（昭和21）年	「中間子論の発展と超多時間理論」により朝日賞受賞
1948（昭和23）年	「くりこみ理論」完成
	「磁電管の発振機構」により小谷正雄博士とともに学士院賞受賞
1949（昭和24）年	プリンストン高等研究所で「多体問題の研究」
	東京教育大学（現筑波大学）教授
1951（昭和26）年	学術会議原子核研究連絡委員会委員長
1952（昭和27）年	日本学士院会員となる
	文化勲章受章
1953（昭和28）年	基礎物理学研究所発足し、京都大学教授を併任
1956（昭和31）年	東京教育大学学長（1962年まで）
1957（昭和32）年	第1回パグウォッシュ会議（カナダで開催）に出席
1961（昭和36）年	ソルベイ会議（ブリュッセルで開催）に出席
1962（昭和37）年	湯川秀樹氏、坂田昌一氏らと第1回科学者京都会議を開催
1963（昭和38）年	日本学術会議会長（1969年まで）
	東京教育大学光学研究所所長
	文部省学術顧問
1964（昭和39）年	仁科記念財団理事長
1965（昭和40）年	超多時間理論、くりこみ理論に対する業績によりノーベル物理学賞受賞
1969（昭和44）年	東京教育大学を停年退官、東京教育大学名誉教授
	世界平和アピール七人委員会委員に加わる
1976（昭和51）年	勲一等旭日大綬章受章
1978（昭和53）年	ガン研付属病院に入院、手術を受ける
1979（昭和54）年	7月8日　逝去

（筑波大学朝永記念室展示パネルより）

日本のノーベル賞受賞者と筑波大学関係者 (敬称略)

	物理学賞	化学賞	生理学・医学賞	文学賞	平和賞
1949年	湯川秀樹				
1965年	筑波大学関係者 (注1) 朝永振一郎 [1906〜79]				
1968年				川端康成	
1973年	筑波大学関係者 (注2) 江崎玲於奈 [1925〜]				**経済学賞**
1974年				佐藤栄作	
1981年		福井謙一			
1987年			利根川 進		
1994年				大江健三郎	
2000年		筑波大学関係者 (注3) 白川英樹 [1936〜]			
2001年		野依良治			
2002年	小柴昌俊	田中耕一			
2008年	南部陽一郎 小林 誠 益川敏英	下村 脩			
2010年		鈴木 章 根岸英一			
2012年			山中伸弥		
2014年	赤﨑 勇 天野 浩 中村修二				
2015年	梶田隆章		大村 智		
2016年			大隅良典		
2017年				カズオ・イシグロ	
2018年			本庶 佑		
2019年		吉野 彰			
2020年					
2021年	真鍋淑郎				
2022年					
2023年					

1901年 第一回ノーベル賞
アルフレッド・ノーベルの遺言によって始まった賞

(注1)
超多時間理論と「くりこみ程論」を建設して，光と電子の相互作用を解明により

(注2)
トンネルダイオード発明の業績により

(注3)
導電性高分子の発見と開発の業績により

●応募状況一覧（第1〜18回）　※応募作品数

「科学の芽」賞部門別応募状況の推移

部門別応募状況

（単位：件数）

区　分	小学生部門	中学生部門	高校生部門	合計
第1回 （2006年）	281	328	36	645
第2回 （2007年）	411	416	19	846
第3回 （2008年）	682	519	47	1,248
第4回 （2009年）	596	530	32	1,158
第5回 （2010年）	588	737	50	1,375
第6回 （2011年）	608	1,602	65	2,275
第7回 （2012年）	874	1,629	120	2,623
第8回 （2013年）	917	1,070	63	2,050
第9回 （2014年）	799	1,258	98	2,155
第10回 （2015年）	816	1,402	162	2,380
第11回 （2016年）	1,050	1,736	133	2,919
第12回 （2017年）	924	1,936	226	3,086
第13回 （2018年）	982	1,711	160	2,853
第14回 （2019年）	1,106	1,719	530	3,355
第15回 （2020年）	897	934	285	2,116
第16回 （2021年）	1,100	1,055	286	2,441
第17回 （2022年）	939	1,114	275	2,328
第18回 （2023年）	723	1,195	292	2,210

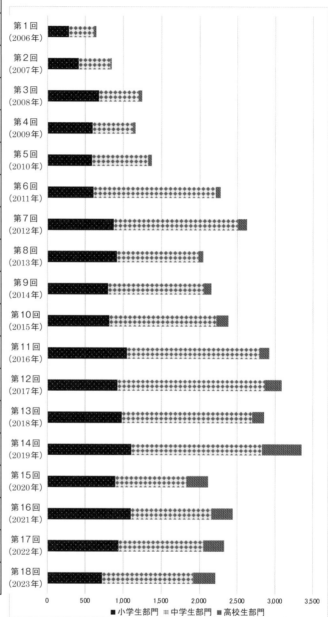

地域別応募状況

都道府県	第1回(2006年)	第2回(2007年)	第3回(2008年)	第4回(2009年)	第5回(2010年)	第6回(2011年)	第7回(2012年)	第8回(2013年)	第9回(2014年)	第10回(2015年)	第11回(2016年)	第12回(2017年)	第13回(2018年)	第14回(2019年)	第15回(2020年)	第16回(2021年)	第17回(2022年)	第18回(2023年)
北海道	0	0	0	7	11	16	6	1	5	2	4	6	3	3	4	4	1	3
青森県	1	2	4	0	2	2	4	5	2	9	3	4	3	1	19	51	30	5
岩手県	0	1	1	0	2	0	0	0	0	0	0	0	0	9	14	10	13	7
宮城県	0	0	2	2	0	0	0	1	0	5	3	65	65	69	11	3	2	5
秋田県	39	3	3	3	1	1	0	1	7	8	1	0	0	0	1	1	0	0
山形県	0	1	3	1	1	0	1	1	0	1	0	0	0	0	0	0	0	0
福島県	6	15	23	1	2	1	0	3	1	3	4	1	3	6	0	4	8	15
茨城県	96	7	96	43	19	190	247	233	225	221	242	227	198	195	53	126	191	178
栃木県	1	0	0	0	1	1	0	0	3	1	0	1	2	1	2	6	2	16
群馬県	0	0	5	6	4	3	15	5	0	0	1	1	1	1	12	6	3	4
埼玉県	21	0	2	5	9	3	10	9	10	10	21	101	107	37	11	16	34	36
千葉県	34	4	1	4	2	9	7	9	11	19	27	18	12	34	26	14	94	16
東京都	267	406	327	326	308	749	624	352	543	690	840	969	699	1,339	867	738	837	1,135
神奈川県	13	9	15	18	10	2	20	55	14	33	28	71	54	34	17	41	17	20
新潟県	2	15	15	0	11	7	0	2	1	10	6	7	13	12	15	17	19	19
富山県	0	0	3	3	0	1	1	0	2	7	3	0	0	0	3	2	0	2
石川県	0	0	3	2	3	2	0	0	0	0	1	5	2	2	15	15	13	18
福井県	0	0	1	1	1	0	0	0	0	0	0	0	1	4	2	0	7	5
山梨県	0	0	0	0	2	0	2	1	0	0	0	0	3	1	0	4	3	2
長野県	1	0	2	2	2	0	0	0	0	0	3	1	0	0	1	2	2	2
岐阜県	1	1	1	0	1	0	2	4	12	20	3	7	7	5	15	8	6	14
静岡県	0	2	9	2	3	0	8	5	15	15	10	23	7	13	31	165	177	20
愛知県	11	12	27	8	15	36	43	27	12	30	25	44	31	52	13	15	41	14
三重県	0	1	5	1	99	14	5	0	21	1	2	1	2	8	4	1	4	2
滋賀県	0	0	0	0	0	0	2	0	0	1	0	0	0	0	0	2	4	1
京都府	0	0	2	1	1	5	6	11	13	24	264	204	250	190	112	185	353	154
大阪府	14	239	355	366	567	711	893	896	839	801	952	913	1,011	851	512	597	106	211
兵庫県	3	103	190	187	73	217	360	241	150	179	180	179	166	174	122	98	121	63
奈良県	94	0	6	1	2	3	12	9	16	21	8	10	2	4	3	2	0	0
和歌山県	1	0	0	0	0	78	79	0	0	30	1	4	0	0	0	1	4	1
鳥取県	0	0	0	0	1	0	0	0	2	1	0	1	0	0	1	3	2	1
島根県	0	0	0	0	0	0	0	3	6	8	2	5	3	7	2	4	7	0
岡山県	0	1	2	3	3	3	14	18	19	16	17	9	5	6	42	11	6	19
広島県	4	1	3	3	8	2	2	7	5	3	5	1	9	14	5	12	9	7
山口県	1	1	2	4	6	5	4	3	3	1	1	2	3	0	0	4	5	9
徳島県	0	0	0	0	0	0	0	0	0	0	0	0	0	0	1	3	3	4
香川県	0	0	0	0	0	0	33	9	15	2	2	5	2	5	3	4	3	2
愛媛県	2	1	2	0	2	0	1	1	2	1	4	6	8	13	15	16	20	22
高知県	29	3	0	1	1	1	0	0	0	1	0	4	0	1	2	1	0	0
福岡県	2	2	34	21	64	60	28	46	53	74	27	48	58	114	57	103	91	65
佐賀県	0	1	0	0	0	0	0	0	0	0	0	5	5	0	1	0	3	0
長崎県	1	1	1	0	1	1	2	3	8	5	33	38	10	7	9	21	2	5
熊本県	0	0	1	0	0	0	0	1	0	1	1	2	1	2	3	1	2	0
大分県	0	0	0	0	20	8	6	8	38	60	1	0	0	0	0	1	1	2
宮崎県	0	3	3	60	0	0	0	0	0	0	0	1	16	10	17	11	0	0
鹿児島県	0	1	0	0	0	0	1	0	3	0	1	1	2	1	1	2	1	0
沖縄県	1	2	1	2	3	5	8	4	9	10	5	9	4	9	12	8	9	4
小計（国内）	645	838	1,150	1,084	1,261	2,136	2,446	1,974	2,065	2,324	2,737	3,014	2,757	3,242	2,049	2,331	2,253	2,108
アメリカ合衆国	0	0	0	0	0	0	0	0	0	0	0	0	0	0	0	1	0	1
アラブ首長国連邦	0	0	0	0	1	0	0	0	0	3	0	0	0	0	0	0	0	0
イタリア共和国	0	0	0	0	0	0	0	1	2	0	0	5	0	3	0	1	0	0
イラン・イスラム共和国	0	0	0	0	0	0	0	0	0	0	2	1	1	0	0	0	0	0
インド	0	0	0	0	0	0	0	0	0	0	0	2	2	1	0	0	0	0
インドネシア共和国	0	0	0	0	0	0	1	0	0	0	0	0	0	0	0	0	0	0
英国	0	0	0	0	0	0	0	0	0	0	0	0	0	0	0	0	5	1
オーストラリア連邦	0	1	0	0	0	0	0	0	3	0	0	0	0	0	0	0	0	0
オランダ王国	0	0	0	0	0	0	0	0	0	0	0	0	1	0	0	0	0	0
カナダ	0	0	0	0	0	0	0	0	0	0	0	0	0	0	0	0	0	1
シンガポール共和国	0	0	0	0	0	0	4	1	1	1	3	0	0	0	0	0	0	0
タイ王国	0	0	0	0	0	2	1	5	4	13	3	4	8	2	0	0	0	0
大韓民国	0	2	44	15	66	66	84	6	0	0	20	13	24	32	21	25	19	24
チェコ共和国	0	0	0	0	0	0	0	0	0	0	0	0	0	0	0	0	0	0
中華人民共和国	0	0	0	0	0	15	8	1	6	2	120	5	11	40	23	51	20	36
ドイツ連邦共和国	0	4	54	59	47	50	47	34	34	0	0	0	0	0	0	0	0	0
ハンガリー	0	0	0	0	0	0	24	24	31	35	35	37	27	24	23	30	30	32
パキスタン・イスラム共和国	0	0	0	0	0	0	0	1	0	0	0	0	0	0	0	0	0	0
バングラデシュ人民共和国	0	0	0	0	0	0	0	0	0	0	0	0	0	0	0	0	0	5
ブラジル連邦共和国	0	0	0	0	0	0	0	0	0	0	0	0	0	0	0	0	0	1
ポーランド共和国	0	1	0	0	0	0	0	0	0	2	0	0	1	1	0	0	0	0
マレーシア	0	0	0	0	0	0	1	10	1	0	0	0	4	20	12	0	0	0
メキシコ合衆国	0	0	0	0	0	0	0	1	2	7	0	0	0	0	0	0	0	0
ニュージーランド	0	0	0	0	0	0	0	0	0	0	0	0	0	0	0	1	0	0
台湾	0	0	0	0	0	0	0	1	0	0	0	0	0	0	0	0	1	1
小計（国外）	0	8	98	74	114	139	177	76	90	56	182	72	96	113	67	110	75	102
合計	645	846	1,248	1,158	1,375	2,275	2,623	2,050	2,155	2,380	2,919	3,086	2,853	3,355	2,116	2,441	2,328	2,210

●第17回　表彰式・発表会（2022年12月17日：筑波大学3A棟204）

表彰式の様子

発表会の様子

受賞記念品（楯）

受賞記念品（クリアファイル＆下敷き）

●第18回　表彰式・発表会（2023年12月23日：筑波大学大学会館）

表彰式の様子

発表会の様子

受賞記念品（楯）

受賞記念品（クリアファイル2枚）

●第17回 「科学の芽」賞受賞作品

作品の題名	学 校 名	受賞者氏名
〔小学生部門〕		
"暑さ""寒さ"を1番しのげるのはどれ？ 「快てきな小べや」研究	東京・筑波大学附属小学校3年	秋山　ラン
ダンゴムシは本当にいついかなる時でも迷路の 達人なのか	京都・洛南高等学校附属小学校3年	橋本　類
アゲハの大研究3 〜幼虫の時の記憶は成虫になっても残るのか〜	兵庫・神戸市立井吹東小学校3年	長井　丈
いざ!! シャボン玉の内側へ —とう明なカベを越えて行け!!—	東京・筑波大学附属小学校5年	土倉　歩美
木漏れ日の謎！すごいぞ！自然現象！	東京・筑波大学附属小学校5年	山本　凜
『葉耳』の役割について 〜2年目の挑戦〜	新潟・新潟大学附属長岡小学校5年	板垣　礼子
糞虫研究　ルリセンチコガネ その生態とSDGs大作戦　第3報	大阪・大阪教育大学附属天王寺小学校5年	矢野心乃香
科学の力で解き明かす！古代みそのなぞ	静岡・磐田市立磐田西小学校 　　　　　　　　　6年　佐藤　迪洋, 4年	佐藤　知海
チーズ好きが挑む!!　完全植物性のチーズ作り	熊本・熊本大学教育学部附属小学校6年	中元晃太朗
〔中学生部門〕		
ザリガニが脱皮をしたあとに現れる新しい殻は どこでどのように作られているのか？	茨城・つくば市立竹園東中学校1年	小山　侑己
水はどのような音を出しているのか？ 〜音声解析アプリを用いた水滴音の研究〜	東京・筑波大学附属中学校1年	丸山　紗楽
オトシブミと数学	兵庫・関西学院中学部1年	黒木　秋聖
茨城県のトンボの群集構造を決める水辺の環境 要因 トンボの研究　パート12	茨城・つくば市立手代木中学校2年	井上　善超
ミルククラウンを探る 〜綺麗なミルククラウンの条件とは!?〜 Part 2	岐阜・多治見市立小泉中学校3年	坂﨑　希実
マクスウェルのこまと歳差運動	静岡・静岡大学教育学部附属浜松中学校3年	大橋　柚佳
よく飛ぶ紙飛行機IX 〜滑空生物の翼と飛ぶ力〜	静岡・静岡大学教育学部附属浜松中学校3年	三宅　遼空
〔高校生部門〕		
アリジゴクの繭作りの要因 〜蛹化要因と臨界サイズの特定〜	栃木・白鷗大学足利高等学校2年	黒杭　功祐

（個人受賞者の並び順は，学年・都道府県・学校名・氏名順による
　団体受賞者の並び順は，応募フォームへの氏名入力順による）

●第17回 「科学の芽」奨励賞受賞作品

作品の題名	学 校 名	受賞者氏名
〔小学生部門〕		
クロアゲハの成長をさぐる	東京・筑波大学附属小学校３年	半谷　倫也
食べなきゃそんだよ納豆	東京・筑波大学附属小学校３年	三谷　桐子
浜名湖をまもれ！ マイクロプラスチックとるとるそうち	静岡・静岡大学教育学部附属浜松小学校３年	佐野　未采
行けるかな？おつかいアリさん 〜あっちいってちょんちょん　こっちきてちょん〜	東京・筑波大学附属小学校４年 東京・葛飾区立住吉小学校６年	濱崎　　杏 濱崎　嘉唯
スクミリンゴガイのオス・メスのなぞ	徳島・阿南市立羽ノ浦小学校４年	村上　悠空
サシバエの生態	千葉・暁星国際小学校５年	大木　元名
どうしたら、すっきり目が覚めるの？（第３編）	東京・筑波大学附属小学校５年	平井　玲妃
ネコの眼はなぜヨコではなくタテなのか	東京・筑波大学附属小学校５年	森田　久咲
テントウムシのひみつ　パート５ 〜なぜ逆さまになっても上手にくっついて落ちないの？〜	岐阜・多治見市立根本小学校５年	江崎　心瑚
ウスバキトンボは光の反射で寄ってくる？ ―駐車場での行動観察から―	広島・広島市立牛田小学校５年	小嶋　悠暉
僕とミジンコの生活Ⅲ〜酸素編〜	静岡・静岡大学教育学部附属浜松小学校６年	内山　楓雅
〔中学生部門〕		
新発見⁉ リンゴにはサイダーと加熱が有効 〜褐変抑制実験〜	東京・筑波大学附属駒場中学校１年	小森　光一
表面張力で水に浮かんだ１円玉の静止位置の違い（２）〜容器の形とその濡れ性との関係〜	長崎・大村市立桜が原中学校１年	川元　美來
植物に対する塩分の影響と海岸沿いに生息する植物の傾向	千葉・千葉市立打瀬中学校２年	野尻昊大郎
きなこの硬さの研究 Part 2 〈粒度のばらつきを抑えると？〉	三重・桑名市立光陵中学校２年	町田　明駿
水時計のひみつ Part4 〜「マリオットのビン」で水の流れを科学する〜	岡山・津山市立北陵中学校３年	長谷川みな海
〔高校生部門〕		
金平糖が成長するにつれてどのように「角」が消失していくのか	兵庫・兵庫県立姫路東高等学校　科学部物理系研究部 　２年　佐藤　知希 　３年　児玉　尚子，多田　明良，三井　彩夏 　２年　後藤　大道，竹内　智哉，西野　侑吏 　　　　横尾　侑眞 　１年　田村花里奈，藤盛　心実，北条　陸翔 　　　　溝垣　月渚	
トビウオ類の血管弓門に関する研究 〜なぜ大きいのか、大きいと何がいいのか〜	東京・筑波大学附属高等学校３年	藤巻　碧一
磁場中で転がる導体棒の加速度が減少するメカニズムの研究	愛知・名古屋市立向陽高等学校国際科学科リニア班 　３年　小田　景寛，髙坂　拓実，森　壮太郎	
微小重力を用いた永久磁石による固体粒子の分離と非破壊同定 〜「固体版クロマトグラフィー」をめざして〜	大阪・大阪府立今宮工科高等学校定時制の課程　科学部 　３年　小園　雄大，和田　章久 大阪・大阪府立大手前高等学校定時制の課程　科学部 　３年　藤谷　まい	
ネギボウズによる海洋汚染物質の除去	愛媛・愛媛県立松山南高等学校　ネギボウ's 　３年　新宮　紗瑛，北村　悠羽，藤井　雅斗	

（個人受賞者の並び順は，学年・都道府県・学校名・氏名順による
　団体受賞者の並び順は，応募フォームへの氏名入力順による）

●第17回 「科学の芽」努力賞受賞作品

〔小学生部門〕

令和最大の人体実験！ぼうこう編～（岩下賢斗・3年）○光の不思議な性質（蓮村玲爾・3年）○急な坂はなぜ登るのが大変なのか？（石川満里衣・3年）○どうして？船は水に浮くの？（入江大樹・3年）○「早く着がえ飲み物を飲みたい！」思いを止める、ワンピースのボタンと引っかかる髪の毛はつながりが深いか（貴堂 菫・3年）○東北の海・塩くらべ（早乙女 楷・3年）○ギザギザの1枚の葉の中に、法則を見つけることができるか ?! その挑戦をしたぼくに変化があるか ?!（鈴木大華・3年）○どうする？消しゴムがないっ‼代わりに何を使うか実験（千野紗和希・3年）○石けんはどうやったら固まるのか（中島志帆・3年）○セミの羽化を助ける力（亀村 海・3年）○アリはにおいと温どが分かるのか（石尾直己・3年）○玉を回転させると、とめけんはうまくできるか？（地藤諒哉・3年）○公園の中にかくれた数を探す（坪田こはる・3年）○クマゼミが鳴くのは、どの木？（山田理仁・3年）○カニの巣穴の形・大きさの研究（太田陽喜・3年）○黄色と黒色の組み合わせの不思議（森谷 湘・4年）○百発百中！まとあて名人‼～まとあて名人修行の道のり～（北本 匠・4年）○ねばねばスライム研究（村石 司・4年）○身近なもので布に色をつけたい！（稲垣伽那・4年）○「熱中症から身を守れ！」～温度と湿度と風と僕～（植木悠晴・4年）○汚れたホワイトボードをきれいにしてみせましょう‼（老沼佑悟・4年）○犬毛 vs 人毛（大友さやか・4年）○ダンゴムシの交替性転向反応にオスとメスの差はあるのか（金井美雨・4年）○紙風船は生きている⁉～つぶれた紙風船をたたくと戻るのはなぜ？～（北川裟那・4年）○めざせ！米研ぎマスター（小布施葵奈・4年）○シーソーで人は本当に飛べるのか ?!（瀬戸山天椛・4年）○雨男・雨女は本当にいるのだろうか（田中宗知・4年）○お父さんの風鈴を壊した犯人をさがせ！（中野京子・4年）○どうしたら落ちるの？～墨のよごれ～（新村理紗・4年）○ブラックライトで大変身⁉（藤本怜央菜・4年）○天までとどけ！スーパーボール Part2（湯川裕人・4年）○みそ汁をおいしく飲むタイミングはいつか？～10種類のみそで探る～（横井隆弘・4年）○恐竜の頸椎の数について（麻上舜ノ介・4年）○ヤマトシジミによる水の浄化作用について～佐鳴湖の水をきれいにするために～（奥井理央・4年）○どうして水の中だと物は軽くなるのだろう？（齋藤彩華・4年）○おいしくタンサン水をのむ方法（喜連川華子・4年）○大文字山は噴火するのかな？（中井 葵・4年）○どれが一番早くむけるの？（身原凜香・4年）○クエン酸のひんやり実験（宮本仁奈・4年）○もう寝グセなんかに悩まされない！（石本咲穏・4年）○空き缶笛とその仲間たち ～音の高さはなぜ違う？～（川崎晴士朗・4年）○バナナの追熟（冨上紗良・4年）○味噌はなぜ凍らないのか？ 冷凍庫で凍るものと凍らないものの違いの考察（難波芽生・4年）○メダカの日光浴とその効果（別所詩野・4年）○植物は、どんな音楽を聞かせると、よく発芽するのかな きらいな音楽もあるのかな（寺田海空・4年）○プランクトンはどこにいるの？～川、池、田んぼでなくても発生するのか～（斉藤ちより・4年）○飛べ！手作り水ロケット パート3 ～行け！水ロケットシミュレーター‼～（河尻智基・5年）○タオルの“フワフワ”を保つ道を探る（秋山リリカ・5年）○セミの羽化の観察 ～羽化する体をどうやって支えているのか～（有田桐布子・5年）○髪の毛を回復させよ！（伊東和薫子・5年）○射的の必勝法を探せ！（北上莉子・5年）○こんにゃくを使って、野菜の色を引き出そう‼（柴山晴礼奈・5年）○フリスビーの進化 ―空気の性質を考える―（高田悠杜・5年）○ヘタからトマトの謎に迫る‼（中村良橘・5年）○漢字が苦手な私が 漢字テストで百点をとる方法（渡邊 碧・5年）○眼鏡の影のひみつ（新沼佑仁・5年）○―プラスチックごみ分解大作戦― 救え！プラスチックごみだらけの地球 Part Ⅱ（落合晃馬・5年）○新エネルギー「砂」の効率的な利用について（上野成陽・5年）○酵母の観察（大地健仁・5年）○広がる水のドーム（小林勇輝・5年）○羽根の形状と角度が与える影響（風車の実験）（田辺光里・5年）○ダンゴムシあっちむいてホイ！そっちいくのホイ！（辰山花悦・5年, 橋本咲希・4年）○渦潮はなぜできて、どうすれば作れるのか（古川 遼・6年）○野鳥の研究3 ～中央公園池と松見公園池の野鳥～（先﨑理世・6年）○たい肥ができるまでの土の中の変化について（井上貴太・6年）○木材も、日焼けする（原田壮真・6年）○グッピーだって三密を避けて生活している！グッピーの集団生活の知恵（平野恵太郎・6年）○日光と日焼けのはてな（東裏侑芽・6年）○ひずむと熱が発生する？～イオの火山の不思議 part2～（柴田千歳・6年）○ツマグロヒョウモン大図鑑2 ツマちゃんの好みを探る実験と、卵～赤ちゃんツマちゃんの観察（加藤虹花・6年, 加藤歩夢・4年）○二枚貝にあいた穴の正体 ～ツメタガイの捕食行動～（井上雄翔・6年）○持続可能な吸水材の研究 ―洗濯機を開けた時に絶望しないために―（岩倉 碧・6年）○セミがつかまる力はどれぐらい強いのか。（大瀬佑花・6年）○どうやって雷は起きているの？（田中ひかり・6年）○植物の成長のひみつ（藤村明梨・6年）

〔中学生部門〕
○ミドリシジミ類の翅の輝きとその生活に果たす役割について（守谷史佳・1年）○ビタミンCは熱やキュウリで壊れてしまうのか？（石丸良太・1年）○検証！ゴーヤーの巻きひげの仕組み（草野純一・1年）○実は奇跡的?!エノコログサ（南 裕介・1年）○気持ちが目覚めに与える影響 〜翌日の行動に対する気持ちと起床行動との関係〜（松永未久莉・1年）○アゲハの幼虫の衣食住（吉本隆良・1年）○身近な物で電池を作る（岩井洋希・1年）○メダカの視野に関する実験（中村恒晴・1年）○やっと見つけた『放散虫』飼育の記録（板垣成俊・1年）○「炭」パワーのひみつを見つけよう！パート4 〜「炭」燃料電池でクリーンエネルギーを生み出したい！〜（江崎凜太・1年）○強い電磁石を作ろう 〜電磁石で自分を持ち上げることはできるか〜 パート3【理想のヨークを作ってみよう編】（上村威月・1年）○サワガニの個体間の関係に関する研究（石倉成実・1年）○硬いもので柔らかい動きを作ることはできるか 〜歯車で作る安心感〜（西田莉麻・1年）○L—アスコルビン酸の濃度とその変動について 〜L—アスコルビン酸の高精度な簡易定量法の開発〜（菩提寺璃子，星野早紀子・2年）○ローズマリーに含まれるカンファーがチョウ類に与える影響 パート②（山川叶恋・2年）○スマホのアプリでおいしいカルピスをつくる！（飯田純真・2年）○貝化石から考える成田市の地形変化（藤川周大・2年）○腐敗がつくった芸術《奇跡の軟骨標本》（相川佳玲・2年）○廃棄食品から生まれるバイオエタノール パート2（穴澤見空・2年）○「温泉の泉質と地形・地質との関連性」〜多様な箱根強羅温泉の泉質の謎に挑戦〜（海野まりな・2年）○表面張力と濡れ（三浦拓翔・2年）○アサガオのつるを調べる（荒井建人・2年）○花瓶の水から太平洋までⅡ ハマのミジンコを探せ！（伊藤晴哉・2年）○ミドリムシ増殖の簡易測定法の確立（篠崎凌佑・2年）○美しさだけではないアサガオの花びらの役割とは（稲吉俐心・2年）○万華鏡の反射原理の研究 Part3 〜鏡のどこで光は反射しているのか〜（服部桃々・2年）○ビタミンB_2の分解についての研究 〜光の波長によって分解能は変わるのか〜（松田菜央・3年）○世界に一つだけの金属樹ボトル 〜イオン化傾向による銀の析出〜（菅野悠斗，青砥怜主，西田太志・3年）○塊状の玄武岩の硫酸の湿乾繰り返しによる変化（木口陽介・3年）○微生物燃料電池の比較研究 〜微生物が活発に発電する環境とは〜（北村健人・3年）○長ネギの根端の体細胞分裂に関する研究（井戸沼悠成・3年）○国産淡水産巻貝三種の繁殖実験（甲斐麻梛・3年）○水のドームの形成条件（菅野天智，敦賀弘晃・3年，羽島由隆，湯沢 誠・2年）○揚力と回転数の関係について（西本 壮，大滝光喜・3年，長田宗也・2年）○キウイフルーツに含まれるタンパク質分解酵素アクチニジンについて（志方宇惟・3年）○祖母が楽に坂を上るには？（柳井 仁・3年）○砂の振動における挙動解析（東裏旺武・3年）○秘伝のタレ（つぎ足し）は美味しいのか？〜PART4〜（川合唯月・3年）○消しカスの研究（席 尉萌，大林初羽・3年，野村優生，内藤 駿，近藤大誠，内藤太一，稲毛拓翔，添谷櫻雅，吉田瑞姫・2年，高橋希歩，猪俣征弘，高島 透，柴田朔磨・1年）○郷土料理「ちくきゅう」の研究（米川浩大・3年）○米のりのパワー3 〜不安要素の検証〜（小倉凛莉・3年）○磁石につかない素材で運動にブレーキをかける実験（金田怜子・3年）○吸血に特化した蚊の生態（村上園佳・3年）

〔高校生部門〕
○「使わない」を無くしていく 〜魚類残滓と外来植物を用いたフレグランスの作製〜（佐藤迅真，倉賀野由郁，高橋千紘，松井晄生，山口晄生・1年）○局地的な気象予測をするための安価な気象観測機器の開発と解析（西川陽和，野村彩加，佐藤寿輝・1年）○微生物マジックの正体 〜池の水質の変化を微生物の観点から考える〜（大西杜有子・1年）○新型コロナウイルス感染者数の増減分布関数と増減期間の法則（庄司紘都・1年）○日の入り後に発生する謎の雲 X を追え！〜ヒートアイランド現象との関係性〜（若山唯織，中野威吹，大木修平，丹 貴虎・1年）○解明‼ ブラックジャック必勝法（庄野歩乃香，木村日茉莉，三原 宙，古川梨帆，山北優花・2年）○スミレ属，ミヤマスミレ節の関係に迫る！（植田彩花，穂波佑成・2年，平島柑奈，西角心香，田中龍之介，西本祐毅・1年）○外部磁力の強度を変えると磁性流体のスパイク底面の形状はどう変化するのか（志村実咲・2年，多田明良・3年，菅原 楓，髙田健吾，西野侑吏，山浦奈々・2年，浦岡杜樹，陰山麻愉，松田理沙，村瀬太郎，大和 司・1年）○歪み指数を導入してサボテン（ブリンチュウ）の刺座の配列方程式を求める（岸上栞菜・2年，前田智彦・3年，本脇敬人，吉田龍之介・2年，藤田詩桜，村瀬太郎，大和 司・1年）○新発見！カタツムリ全身『除汚』のメカニズム（片岡崇皓・2年）○炭酸ナトリウムのセスキ炭酸ナトリウムへの転換 〜おむつ灰のアルカリ性洗浄剤への再資源化を目指して〜（新本友季，横井良音・2年，吾妻春汰，植田紗世，玉井 涼，松本好未・1年）○沖縄本島におけるツルナの分布および種子形態の地域差について（荒川千也，福地友朔，福原諒真，仲原万葉，島袋ひらり・2年）○果実の劣化過程におけるビタミンC量の簡易測定法の検討と劣化防止物質の探索（小野菜々子，柴田匠美，佐藤望愛留，小林七海・3年）○アルギン酸−酸化チタン系複

合材料の光触媒活性の評価（喜多島悠暉，藤田 耀，佐藤琉生・3年）○弘前の伝統野菜　清水森ナンバの抗菌作用の評価（竹内裕生，嘉手苅日向大・3年）○炭酸カルシウム系廃棄物を用いた金属イオンの吸着と回収（中居佑太・3年）○乾燥地の塩害抑制技術の開発（中居泉穂，寺沢ゆき，新田遥加，佐々木昌虎，大坊拓也，掛端博貴・3年）○ニーズに応える高糖度水耕トマト栽培技術の開発（掛端博貴，大坊拓也，佐々木昌虎，新田遥加，寺沢ゆき，中居泉穂・3年，船場爽良，沼畑 央，岡堀有祐・1年）○ Zn 金属葉 ～有機溶媒／金属塩水溶液境界面に生成する要因を探る～（遠藤理紗，臼井智加・3年）○アズキゾウムシの産卵密度と次世代サイズの関係（坂本伊織，内山田明梨，浜渦百香・3年）○ハサミムシの概日リズムの解明（諸角 広・3年）○ランダムウォークの確率分布（金巻平亮，長峰充輝，山﨑翔太・3年）○合成音声の日本語動詞におけるアクセントの傾向分析（狩野竜馬・3年）○金属上の氷の運動（浅川治駒，名取琥珀，守屋春輔・3年）○太陽地球間の距離の算出方法の確立 ～太陽の位置と時刻を用いる方法～（ペルー光詞，竹野脩太，稗田彪雅，八木大樹，前田姫和・3年）○龍野高校周辺における内水氾濫の危険性 ～QGISを用いた内水氾濫ハザードマップの作製～（森光陽，嵯峨山小梅，千代澤八重，矢原蒼太，山本侑明・3年）○トウミョウに含まれる β カロテン量を瞬間的に高める条件の研究（上甲莉沙，上笹莉子，宮本 凜・3年）

$$\left(\begin{array}{l}\text{個人受賞者の並び順は，学年・都道府県・学校名・氏名順による}\\\text{団体受賞者の並び順は，応募フォームへの氏名入力順による}\end{array}\right)$$

●第17回 「科学の芽」学校奨励賞

青森県・八戸工業大学第二高等学校附属中学校	静岡県・浜松開誠館中学校
青森県・八戸工業大学第二高等学校	愛知県・西尾市立平坂中学校
岩手県・岩手県立水沢高等学校	京都府・洛南高等学校附属小学校
茨城県・茨城県立並木中等教育学校	大阪府・大阪教育大学附属池田小学校
茨城県・茨城中学校	大阪府・大阪教育大学附属天王寺小学校
茨城県・つくば市立春日学園義務教育学校	兵庫県・兵庫教育大学附属中学校
茨城県・つくば市立手代木中学校	兵庫県・兵庫県立小野高等学校
埼玉県・本庄東高等学校附属中学校	福岡県・明治学園中学校
千葉県・成田高等学校付属中学校	福岡県・行橋市立行橋中学校
東京都・大田区立蒲田中学校	福岡県・福岡県立城南高等学校
東京都・成城中学校	福岡県・福岡工業大学附属城東高等学校
東京都・田園調布学園中等部	中華人民共和国・青島日本人学校
東京都・東京都立大泉高等学校附属中学校	大韓民国・釜山日本人学校
新潟県・新潟県立新発田高等学校	ハンガリー共和国・ブダペスト日本人学校
石川県・石川県立七尾高等学校	

●第18回 「科学の芽」賞受賞作品

作品の題名	学 校 名	受賞者氏名
〔小学生部門〕		
どういうスプーンだったら、ヨーグルトカップがたおれないか?	東京・筑波大学附属小学校3年	駒井 杏
カルピス®を楽にしっかり混ぜるには?	京都・洛南高等学校附属小学校3年	野田 陸
物の色はなぜ見えるのか?	東京・筑波大学附属小学校4年	貴堂 菫
「ポン」の音を究める!	東京・筑波大学附属小学校5年	大友さやか
カラダと地球にやさしいエコ石けん ～サポニンの効果を探れ!!～	東京・筑波大学附属小学校5年	箱田 有香
ペットボトル飲料 最後の一滴?	東京・筑波大学附属小学校5年	藤本怜央菜
テントウムシのひみつ パート6 ～なぜたくさん卵があるのに幼虫になると数が減っちゃうの?～	岐阜・多治見市立根本小学校6年	江﨑 心瑚
王者ボルトに近づけ! 速く走るコツとは?	富山・富山大学教育学部附属小学校6年	澤田 利周
黒+黄は警告色?誘引色?	石川・金沢大学附属小学校6年	小野 遥紀
〔中学生部門〕		
ドクダミの独特な匂いに迫る ～デカノイルアセトアルデヒドが与えるアレロパシー効果とは～	茨城・茨城県立並木中等教育学校1年	廖 執泰
エノキワタアブラムシにおけるワタの復活条件について	東京・武蔵高等学校中学校1年	伊藤 幸為
ひずむと熱が発生する? ～イオの火山の不思議 part3～	静岡・静岡大学教育学部附属浜松中学校1年	柴田 千歳
ミドリシジミ類のオスの翅の色味・輝きの役目	福島・福島大学附属中学校2年	守谷 史佳
揺れる音「ビブラート」の研究 ―吹奏楽器のビブラート音は何が揺れているのか?―	東京・筑波大学附属中学校2年	丸山 紗楽
響け!篠笛 篠笛の吹き方の音響学的考察 ～呂音・甲音の出し方を可視化する～	東京・東洋英和女学院中学部2年	谷口 ゆい
ヘビイチゴのかゆみ止めの秘密を探る	東京・東京学芸大学附属国際中等教育学校 　　　3年 石橋 紅音,長坪 奏良	
〔高校生部門〕		
岐阜市長良川堤防に生息するジャコウアゲハとホソオチョウの競合について	岐阜・岐阜県立岐阜高等学校 自然科学部生物班 　2年 脇原 千颯,前田 蒼煌,浅井 大蓉 　　　神田 晃尚 　1年 松久 弘大,辻内 凜,中村 友哉 　　　朝日 快成,佐藤 章翔	

⎛ 個人受賞者の並び順は,学年・都道府県・学校名・氏名順による ⎞
⎝ 団体受賞者の並び順は,応募フォームへの氏名入力順による ⎠

●第18回 「科学の芽」奨励賞受賞作品

作品の題名	学 校 名	受賞者氏名

〔小学生部門〕

作品の題名	学 校 名	受賞者氏名
どんな卵がむきやすい？	北海道・札幌市立しらかば台小学校3年	石田　凛桜
射的の達人　射的で景品をとるコツを探る！	東京・筑波大学附属小学校3年	五十嵐暖人
土のなぞにせまる ―なぜ植物の生える土、生えない土があるのか	石川・津幡町立英田小学校3年	大久保雄翔
クモの糸のひみつ　～強さとしなやかさ～	石川・珠洲市立若山小学校4年	石尾　直己
「音」ってなんだろう？	東京・練馬区立石神井西小学校4年	山田潤之介
どんどん溶ける？なかなか溶けない？　十種十色の「氷」研究	東京・筑波大学附属小学校4年	秋山　ラン
紙風船　part2 ～宙にフワフワ浮き続けるのはなぜ!?～	東京・筑波大学附属小学校5年	北川　裟那
ゾウリムシと培養液	神奈川・横浜市立豊田小学校5年	日吉優衣華
科学の目で見る　シャボン玉洗剤と保湿剤の仲	大分・大分大学教育学部附属小学校5年	堀永あすか
ニセモノのとう明を探せ!! ―とう明なモノの「かげ」の不思議―	東京・筑波大学附属小学校6年	土倉　歩美

〔中学生部門〕

作品の題名	学 校 名	受賞者氏名
植物の葉の色味についての研究 ～植物ホルモンを加えたときのクロロフィル量の変化～	茨城・茨城県立並木中等教育学校 　　　2年　井上　和樹，浜井　航志，	間中　蒼晴
海洋生分解性プラスチック：強度と生分解性をどう両立させるか？	東京・筑波大学附属駒場中学校2年	小森　光一
一筋縄ではいかない振り子の世界	東京・筑波大学附属駒場中学校2年	宮内　聡輔
磁場によるサイコロ確率の変化	東京・筑波大学附属中学校2年	伊藤　颯真
オトシブミと数学Ⅱ	兵庫・関西学院中学部2年	黒木　秋聖
海藻×太陽光発電 （外1件）	神奈川・聖光学院中学校3年	香川　誠道

〔高校生部門〕

作品の題名	学 校 名	受賞者氏名
段ボール箱を再利用した緊急災害時応急デスク・チェアの設計と製作手法及び手を挟みにくいチェアの開発	東京・桜蔭高等学校2年	中辻　知代
食品に含まれる糖を用いたロケットエンジンの開発	兵庫・兵庫県立洲本高等学校　科学技術部 　　　2年　眞野　海凛，木戸　沙織，中川　裕太 　　　1年　高島　優摩，東條　翔摩，前川　瑞葵 　　　　　宇根　良賢，北川　倖成	
新型甲殻類型ロボットの作成Ⅳ ～バイオミメティクスの可能性を探る～	愛媛・済美平成中等教育学校　自然科学部 　　　2年　澤近　大地，小田　悠生，金浦　俊哉 　　　　　牧野　将大，矢野　太勢	
花弁におけるアスコルビン酸プールサイズの多様性と制御	大阪・長尾谷高等学校3年	横川　暖
電離層総電子数（TEC）データを用いたオープンソースモデリングアルゴリズムによる地震予知	兵庫・兵庫県立姫路西高等学校　HMW4 　　　　　　　3年　東　優希，坂田　篤哉	
平成30年7月豪雨における吉田町土砂災害の一考察	愛媛・愛媛県立宇和島東高等学校 　　　3年　水谷　光希，山元　颯太，赤松　奏來 　　　　　伊藤　脩，髙田　悠朗，古川賢太郎	

（個人受賞者の並び順は，学年・都道府県・学校名・氏名順による
団体受賞者の並び順は，応募フォームへの氏名入力順による）

●第18回 「科学の芽」努力賞受賞作品

〔小学生部門〕

牛乳に入れた氷はなぜ黄色いのか？（星 花知・3年）○炭さんで「骨」はとけるのか？（池戸瑛紀・3年）○ぼくにももどってくるペーパーブーメランは作れるのか⁈（榎本寛心・3年）○もう草むしりをしなくてよくなる大作戦（大河戸正晴・3年）○ねずみくんはぞうさんとシーソーで遊べるのか？ ぼくはお父さんとシーソーで遊ぶ（岡部秀悟・3年）○回り将棋名人への道 ～必勝法はあるのか～（加賀大貴・3年）○睡眠のふしぎ（齋藤 優・3年）○暑い日差しを役立てたい（佐久間玲佳・3年）○親子でつめの形はちがうの？（谷口凜花・3年）○先ぱい、うちのハムスター、走らないんですけど……。（中澤晴子・3年）○海を守る‼ 自然に還るプラスチックの研究（藤村唯葵・3年）○打ち水の持続時間（湯浅果怜・3年）○もったいないと食中どくの真ん中（滝澤まほろ・3年）○「化石を見つけたかも⁈」からはじまるぼくのけんきゅう（日野 至・3年）○沈む水、混ざらない水（上原理乃・3年）○お父さんのいびき何人分で人は気絶するのか（前川太志・3年）○ゆかりごはんのもとはなぜしおがのこるのか？（谷本彌子・3年）○おいしいお茶が飲みたい！ ～水とうに入れた緑茶が茶色く、しぶくならない方法はあるのか⁈～（石川満里衣・4年）○金魚すくいでもっとたくさんの金魚をすくいたい！（植田悠司・4年）○セミの幼虫クライミング選手権 ～最も高く登るセミの幼虫を突き止めろ！～（貝原旺典・4年）○お家でお店みたいなパンケーキを再現するには？（小林 稟・4年）○なぜ魚はおぼれないのか ―エラの働きと魚たちを守るために僕たちができること（杉谷 惺・4年）○速く走るためのタイヤ（清治慶都・4年）○おいしい水、おいしくない水⁈（高緑すず・4年）○空気の不思議（岳崎紗良・4年）○食品ロスを減らせ！ 冷凍してもおいしい食べ物を探す（千野紗和希・4年）○夏に傷まない最強のおにぎり決定戦（土屋朝陽・4年）○墨汁合戦 夏の陣 難攻不落の墨汁城を攻略せよ（藤川結翔・4年）○果物って美しい！ ～輪切りで探すキウイ、リンゴの形の秘密～（江上乃蒼・4年）○色の変わる石のひみつ（小野千紘・4年）○パン作りを通して学ぶ砂糖と発酵の関係 ―最も発酵が進む割合とは―（橋詰康平・4年）○夏の日の睡眠は、どうしたらいい？（山田理仁・4年）○アゲハの大研究4 ～親の幼虫期の記憶は子や孫に遺伝するのか～（長井 丈・4年）○セミの抜けがらの研究4（青柳心優・5年）○志木市西原ふれあい第三公園の多様で貴重な昆虫相について（西本明道・5年）○災害の時にも役立つ「塩カル湯たんぽ」を作ろう！（山本 怜・5年）○カブトムシ・クワガタムシの生体研究 ―個体がバラバラになるなぞにせまる―（西田将輝・5年）○素材の違いから考える僕の快適な相棒服探し（伊藤迅澄・5年）○転がりの謎と考察（植木悠晴・5年）○効果的な打ち水で地球沸騰化を乗り切ろう‼（老沼佑悟・5年）○行けるかな？おつかいアリさん ～あっちいってちょんちょん こっちきてちょん～ part2（濱﨑 杏・5年）○紙をまっすぐに落とす方法（山森圭泰・5年）○ぼくが楽しめる流しそうめんの条件は？（横井隆弘・5年）○汗で夏を涼しく過ごすためには（禮田桜妃・5年）○スクミリンゴガイの卵塊の色の探究（村上悠空・5年）○アリを使った洪水に強いまちづくり研究（小松大斗・6年）○サシバエの生態②（大木元名・6年）○どうしたら震源の誤差がなくなるの？ ～大地震に備えて 目指せ地震の予想～（石原想真・6年）○みんなに優しいUFOキャッチャーのアームをめざして！（高田悠杜・6年）○『葉耳』の役割について ～3年目の挑戦～（板垣礼子・6年）○救え！プラスチックだらけの地球 Part Ⅲ ～プラスチックごみ分解大作戦～（落合晃馬・6年）○予想と違う心臓の動き（田辺光里・6年）○紙コプターのふしぎ part2（増田圭佑・6年）○赤土は本当にリーフエッジ（サンゴ礁）まで流れているのだろうか？（池間健護・6年）○捨てるラズベリーで環境に良いパンを作れるか？（藤本璃生・6年）

〔中学生部門〕

○汗で発電するウェアラブルバイオバッテリーの開発に向けて ～汗から発電するとは？～（前川心花・1年）○里山における生物多様性の調査（柴沼悠眞・1年）○どうやったら転回屈伸が立てるのか（大塚勝斗・1年）○森を伐採して新たにビルを ～私たちへの影響は？～（加藤あんり・1年）○ゴムの性質を利用してより高く！（金子海琉・1年）○ビル風を検証する（中島里緒菜・1年）○ミニトマトの甘さと保存方法 ～保存方法で味は変わるのか⁈～（八反丸結衣・1年）○骨粉の力は本当か？（矢野真悠・1年）○セミの脚の特徴、工夫について（荒 拓実・1年）○ミミズとダンゴムシの生態（ミミズとダンゴムシのコンポスト作り1）（東裏侑芽・1年）○ぼくの都市鉱山物語 ～塩酸編～（内山楓雅・1年）○トライコームの役割（村貫愛歩・2年）○ザリガニの脱皮と殻の生成の研究 Part Ⅱ ハサミ切断による仮説検証実験（小山侑己・2年）○アホロートル（ウーパールーパー）の死因の特定（信川華凛・2年）○地面の舗装とヒートアイランド現象（島村 俊・2年）○周波数と遮音材の相性に迫る！（伊奈美桜・2年）○神飛行機（風間陶吾、畠 淳裕・2年）○災害時に役立つ最も明るくなる即席ペットボトルランタン（河井愛実・2年）○トビウオの胸ビレについて ～骨格や強度を調べる～（神田直門・

2年）○アルミニウムの熱伝導 形状の異なりと熱の伝わり方（志村由梨・2年）○液体の表面張力 〜表面張力の大きさは何によって変わるのか〜（高橋茉夏・2年）○続・雨水は魔法の水？ 〜如雨露を用いた雨水の成長促進効果〜（平井沙季・2年）○油膜はなぜ虹色に見えるのか？（前田匠翔・2年）○アゲハの幼虫の衣食住パート2（吉本隆良・2年）○カルメ焼きの材料のひみつ（広部実愛・2年）○ハダニの生態学的特性とメカニズム —環境に対する行動可塑性—（戸澤 潤・2年）○放散虫をもっと捕まえたい！—少し上達した2年目の記録—（板垣成俊・2年）○「炭」パワーのひみつ パート5 〜環境に優しい「竹炭」燃料電池の限界に挑戦！〜（江﨑凜太・2年）○ゴキブリ徹底解剖！〜ゴキブリのカラダ覗いてみました〜（戸田なつみ・2年）○サワガニの個体間の関係に関する研究 —配偶行動の観察—（石倉成実・2年）○クェルセチンとメイラード反応（佐藤真矢・2年）○最適なフェンスの形を考える（松本七星・2年）○ヒメ様の香水のなぞ ヒメギスの縄張りについて（森岡玲圭・2年）○海岸の"白い粒"（更田夏帆・2年）○イースト菌の環境条件における発酵の研究 Part.2（中島桃花・3年）○ローズマリーに含まれるカンファーがチョウ類に与える影響パート③ 〜揮発と忌避効果の関係を探る〜（山川叶恋・3年）○ゼラチンで固まらないフルーツがあるの？（中野来春・3年）○石膏を用いた模擬火山による火山噴火のモデル化 〜溶岩の性質変化による噴火への影響比較〜（野尻昊大郎，濱野晃真・3年，加藤綾人，隈田実咲，下拂 淳，樋口祐介，布施颯人，川俣嘉斗，堀 俊太，守屋佑音，斎藤祐大，外岡 慶・2年）○オーブンを用いた食品の乾燥と保存（冨澤華子・3年）○栄養豊富なねるねるねるねを作ろう！（中田実優，谷村みのり，下津屋理沙・3年）○少ない水で植物を育てる方法とは（佐藤誠史・3年）○ミドリムシの培養で廃ポン酢を削減する（篠崎凌佑・3年）○浮遊の法則 体感怖さ関数（西村有司・3年）

〔高校生部門〕
○マツを救う防風対策 —止めてだめなら、吸ってみろ—（小田向日葵・1年）○西南日本内帯山陽帯の揖保川花崗閃緑岩の角閃石から発見した波状累帯構造から推定する熱水残液の循環（陰山麻愉，藤田詩桜，松田理沙・2年，髙田健吾・3年，前田隆良・2年）○サボテンの刺座配列の螺旋方程式 —系統樹上の位置と関連はあるのか—（村瀬太郎，大和 司・2年，岸上栞菜，本脇敬人，吉田龍之介・3年，伊坂奈桜・2年，寺田悠哉，宮下翔真，宮本泰成・1年）○昼夜の気温変化によって揚水または発電する方法について（田中麻尋，林 海聖・2年，住村陸斗・3年）○おむつ灰から作るセスキ洗剤 〜愛媛県西条市のおむつゴミ再資源化を目指して〜（植田紗世，松本好未，宗﨑海斗，吾妻春汰，玉井 涼・2年，石川美空，髙橋駿輔，中西 紗・1年，新本友季，横井良音・3年）○都市化と対流不安定の関係（若山唯織，大木修平，丹 貴虎・2年）○植物が生合成する物質の資源利用について（熊 玖結美，瀬野実桜，二宮杏乃，久松夢希果，堀川梨乃・2年）○起こせ！タイダルボア（山口森史・3年）○廃棄されるマグロの皮でせんべいを作る 〜油脂の酸化を抑制した加工方法の考案〜（内海紅梨・3年）○AIと主成分分析を用いた効果的なカサガイの同定方法の確立（小野湊士，下條 心・3年）○アスコルビン酸酸化酵素の作用と食品を用いた失活条件（向瀬紗来，廣澤夢空，福井隆介，濱田幹太・3年）○ゾンビボルボックスによる"マイクロ電池化"（小島久実・3年）○クロモジのホルムアルデヒドに対する有効性 〜シックハウス症候群の改善を目指して〜（植田彩花，福本 鈴，穂波佑成，松永卓也，山本愛華・3年）○進化傾向から迫る、スミレ属ミヤマスミレ節の関係関係（植田彩花，三木康太朗・3年，平島柑奈，西角心香・2年，馬越ひかり，山下優結・1年）○外部磁力の強度と磁性流体のスパイク出現の関係（2）（志村実咲，菅原 楓・3年，陰山麻愉，松田理沙・2年，飯田凌央，石井 漸，永井 翔，中村賢矢，冨士佳蓮・1年）○円筒管内の液体の攪拌・混合過程の可視化装置の開発とその応用（佐藤煌将，岡野楓子，住矢晴亮，森安愛弥瞳，山﨑満月・3年）○カゼインプラスチックの分解について（加藤泉水，亀井彩乃，六車紗菜，弓削理子・3年）○アコヤ貝を用いた制酸薬の合成（藤江栞里，清水和奏・3年）○後流利用による二層式水平軸風力発電機タービン羽根の発電効率向上の研究（馬瀨 MA HAO，洪容 HUNG RONG・3年）

（個人受賞者の並び順は，学年・都道府県・学校名・氏名順による
団体受賞者の並び順は，応募フォームへの氏名入力順による）

●第18回 「科学の芽」探究賞受賞作品
〔高校生部門〕
○手のばい菌よ、さようなら！（松本敢太，狩野心葉・3年）

●第18回 「科学の芽」学校奨励賞

福島県・福島大学附属中学校　　　　　　京都府・洛南高等学校附属小学校
茨城県・茨城県立並木中等教育学校　　　大阪府・大阪市立豊崎本庄小学校
茨城県・茨城中学校　　　　　　　　　　大阪府・大阪教育大学附属池田中学校
茨城県・つくば市立春日学園義務教育学校　兵庫県・西宮市立山口中学校
栃木県・栃木県立小山城南高等学校　　　兵庫県・兵庫県立小野高等学校
埼玉県・本庄東高等学校附属中学校　　　岡山県・岡山県立岡山一宮高等学校
東京都・慶應義塾中等部　　　　　　　　福岡県・福岡県立城南高等学校
東京都・昭和女子大学附属昭和中学校　　福岡県・福岡工業大学附属城東高等学校
東京都・成城中学校　　　　　　　　　　中華人民共和国・青島日本人学校
東京都・瀧野川女子学園中学校　　　　　中華人民共和国・北京日本人学校
東京都・田園調布学園中等部　　　　　　大韓民国・釜山日本人学校
新潟県・新潟県立新発田高等学校　　　　ハンガリー共和国・ブダペスト日本人学校
石川県・石川県立七尾高等学校

〈参考〉第1回（2006年）〜第16回（2021年）受賞作品一覧

●「科学の芽」賞

第1回：2006年

〔小学生部門〕

○ヒマワリの種はなぜ平らにまかなければいけないのか？（棚田莉加・3年）　○あわでないでね（土田葉月・3年）　○百日草のさき方と花について（永原彩瑚・3年）　○「はねて・たつ・しゃりん」のひみつを調べよう（松原花菜子・3年）　○モンシロチョウは葉のどこに卵をうむのか？（鳴川真由・5年）　○カブトムシが集まるエサの研究Ⅲ（新居理咲子・5年）　○くりの木の不思議 〜お母さんの木と子どもの木〜（渡部京香・5年）　○風力発電機の研究（河村進太郎・6年）

〔中学生部門〕

○流れと渦の研究 〜なぜ渦はできるのだろう？〜（荒井美圭・1年）　○紙おむつの秘密を探る（齋藤琴音・1年）　○ラジカセの音を大きくするには（永井亜由美・1年）　○のびろカイワレダイコン（松下美緒・1年）　○人の色の見え方（佐川夕季・2年）　○土壌汚染の植物への影響 PART3（仁熊佑太・2年，仁熊健太・1年）　○納豆の醗酵に及ぼす『音』の影響（樫村琢実・3年）　○キンギョの活動性に及ぼすミネラルの効果 〜軟水と硬水の比較実験〜（古川詩織・3年）

〔高校生部門〕

○融解塩徐冷法による塩化ナトリウムの結晶作り（中川恵理，長谷川 薫・2年）　○Brz が植物の耐塩性に与える影響（木村あかね・3年）　○リニアモーターカーの理論と模型の製作（出口雄大・3年）

第2回：2007年

〔小学生部門〕

○2つの花だんの不思ぎ（佐藤三依・3年）　○かいこのペットフードを作ろう（森 翠・3年）　○「光の不思議」〜ラップはとう明なのになぜしんは見えないのか〜（小田島華子・3年）　○スイカ，カボチャ，メロンの種の数は大きさに関係あるのか？（岡野史沙・4年）　○植物の研究（樫村理喜・4年）　○指のシワシワ実験（嶋 睦弥・5年）　○魔球のひみつ（小原徳晃・6年）　○くりの木の不思議Ⅱ〜お母さんの木と子どもの木〜（渡部京香・6年）　○氷のカットグラス 〜どうして斜めの線ができるのか 氷にできる模様の観察〜（伊知地直樹・6年）　○カブトムシが集まるエサの研究Ⅳ（新居理咲子・6年）

〔中学生部門〕

○ナミアゲハの蛹の色を決める一番の条件は？（橘 智子・1年）　○海水の二酸化炭素の吸収について（日原弘太郎・1年）　○粘着テープの強度比較（村岡健太・1年）　○ジャム作りの秘密（中島可菜・1年）　○サッカーボールの科学（笠原 将・2年）　○ニホンイシガメの行動パターン（竹内捷人・2年）　○漂白と液性の研究（太田みなみ・2年）　○五平もちを上手に作りたい！ 〜ラップにつきにくいご飯の条件ともち米を加える秘密〜（杉浦 健，清水大貴・3年）　○寄生 〜2次寄生の発生条件〜（清水 壮・3年）

〔高校生部門〕

○植物の特性を活かした観賞用インビトロ・プランツの開発（漆戸 啓，山一哲也，吉本慎二，中村秀樹・3年，三津谷慎治，中野渡 遥，蔵川千穂，橋端早紀，斗沢拓実・2年）

第3回：2008年

〔小学生部門〕

○オオカマキリのふ化からせい虫になるまで 〜オオカマキリと共にすごした303日間〜（板橋 茜・3年）　○苦くてくさいパセリは，味つきパセリになれるかな？（大枝知加・3年）　○ホテイアオイ・プカブカうきぶくろのひみつ（松井悠真・3年）　○一つの骨から（岡村太路・4年）　○テーブルの上に置いたおわんが動くのはなぜ？（中島澄香・4年）　○紙でなぜ手が切れるの？（溝渕將父・4年）　○きゅうすで注ぐ水の音と湯の音がちがうのはなぜ？（川上和香奈・5年）　○謎の砂団子 コメツキガニのしわざ？（永原彩瑚・5年）　○ひっくりかえるめんこのひみつ（松原花菜子・5年，松原汐里・3年）　○よく回る硬貨の順番は？（嶋 睦弥・6年）　○植物に必要な色は何色か（徳田翔大・6年）

〔中学生部門〕

○アサガオから考える私たちの環境（石井萌加・1年）　○セイタカアワダチソウを利用した生物農薬の研究（白井有樹，土田悠太，竹内 賢・1年）　○くりの木の不思議Ⅲ 〜お母さんの木と子どもの木〜（渡部京香・1年）　○ホットケーキを焼く 〜重曹とベーキングパウダーの違いに注目して〜（菊島悠子・2年）　○心臓や声帯の動きを測れるか？（佐藤信太・2年）　○セミの抜け殻における羽化の場所の研究（須藤克誉・2年）　○ドルフィンボールの高さと深さの研究（廣川和彦・2年）　○接着剤の強度比較 〜紙用接着剤の実験〜（村岡健太・2年）　○緑青の発生スピードについて（山田祐太朗・2年）

〔高校生部門〕

○航空機内での静電気による電磁波の研究 〜帯電した金属の衝突によるモデル実験〜（大津拓紘・2年）　○紅葉の仕組みと環境要因の解明（三澤亮介，藤原雅也，鈴木宏典・2年）　○地球温暖化に対応した光触媒技術の開発と導入（青木達哉，大川井裕乃，下川智代，永倉頌子，穂積友介・3年，佐藤博美，平井泉美・2年，糟屋真菜，寺田結香，森 勝太，田中優平・1年）

第4回：2009年
〔小学生部門〕
○本当にめ花は少ししか咲かないのか（山﨑公耀・3年）○かいこのまゆ作りにお気に入りの形や場所はある？（永原蒼生・3年）○むしの起き上り方（蟹谷 啓・3年）○ピキピキのなぞ（秋吉喜介・3年）○青虫は、冷蔵庫でも生きる？（森 翠・5年）○「巣あな」の仕組みと日なたのアリジゴク（湯本拓馬・5年）○ありとオレンジ（大澤知恩・5年）○泥ハネの研究（竹田悠太・5年）○アリは輪ゴムがきらい？（笠井美希・5年）○謎のウェービング　コメツキガニのあいさつ？ ～コメツキガニ Part 2～（永原彩瑚・6年）

〔中学生部門〕
○トビズむかでの習性をさぐる（金子一平・1年）○水と石鹸の謎（和田純麗・1年）○赤外線の研究（野﨑 悦，萩原康平，日野裕輝・1年）○動物の「まばたき（瞬き）」に関する研究 ～草食（被食）動物の瞬きは素早い？～（大見聡仁・3年）○フィルムケースロケットが飛ぶ秘密（辻田宗一郎，広野龍一・3年，浅井啓志，野澤秋人，松ヶ谷玲弥・2年）○「水かけ」の科学（水野夢世，加藤翔湖・3年，浅野紘希，野村拓生・2年）○玄関先に営巣したメジロの研究（秋元勇貴・3年）○自然のカーテン（對木雄太朗，遠藤颯洸，古谷龍一・3年）

〔高校生部門〕
○宮古島の湧水域環境保全を目指した研究 ～湧水域に生息する生物の保全を目指して～（西里公作・2年，垣花武志・1年，洲鎌理恵，本永 明，下地瑞姫・3年）○堆積物中の二硫化鉄（FeS_2）生成の物理化学的検討 ～地質比較における生成条件・温度圧力条件の検討～（山﨑晴香・3年）

第5回：2010年
〔小学生部門〕
○謎の生物大発見!!（伊藤杏樹・3年）○雨の日でもなぜ蝶はとべるの？ ～蝶のはねのひみつ～（植田紗優奈・3年）○色は何色でできているの？（永原蒼生・4年）○酸性・中性・アルカリ性によってニガウリの育ち方は違うのか（山﨑公耀・4年）○ボウフラのきらいな光ときらいなものの研究（井上拓哉・5年）○眠れないアサガオ ～なぜアサガオのつぼみがつかないのか～（鈴木ゆみ子・5年）○バッタの羽が急にのびた！（花牟禮優大・5年）○アリジゴクの研究（4年次）（和田龍馬・5年）○まゆの色七変化 ～まゆの色とえさの関係～（杉村虎祐・6年）

〔中学生部門〕
○ボールはなぜ曲がるか（赤津颯一・1年）○貝のカタチというもの（東 弘一郎・1年）○コーラの泡をあまり出さずにグラスにたくさん入れる方法は？（福田優衣・1年）○バイオエタノールとエタノールロケット（槙野 衛・1年）○流れ−自動車に関する空力の実験−～自動車のボディーは流線形ではいけない？～（中西貴大・2年）○工業用ホースを使った音響実験（平井裕一郎・2年）○セミの発生周期の研究（湯本景将・2年）○ギラギラ光る油の研究（浅野紘希・3年，水野佑亮，森下貴弘・2年）○転がる速度はなぜ物体によって違うのか（外山達也・3年）

〔高校生部門〕
○炭素による酸化銅の還元について（岡崎めぐみ・1年）○白いリンゴと黄色いサクランボ ～植物の特性を活かした新商品開発～（上田若奈，東 のどか，鹿島真由美，川井絵美，佐々木理紗，千澤里花，沢口 舞・3年）○筑豊の「赤水」調査2010 ～坑道廃水の調査と環境に及ぼす影響，及び水の浄化に関する試み～（瀬戸渓太，早田亜希・3年，永井智仁，曽根裕子・2年，花田真梨子，井上 薫・1年）

第6回：2011年
〔小学生部門〕
○ノコギリクワガタとコクワガタの生活のちがい（飯田実優・3年）○ぬけがらから分かるアブラゼミの生たい（鈴木詠子・3年）○アブラゼミのウロウロくん（井出 麟・4年）○アリのチームワーク ～エサ運びで協力するアリたち～（伊藤知紘・4年）○変形菌の研究 変形体の動き方と考え方2008～2011年 ～変形体どうしが出会うと何が起きるのか？～（増井真那・4年）○エンゼルフィッシュの消える『しま』の秘密 ～消えたりあらわれたりする『しま』その意味とは!?～（髙澤英子・5年）○紙ふぶきの舞い方（田中琴衣・5年）○そもそもダンゴムシは何が好き？（永原蒼生・5年）○美味しいトマトの見分け方とそれを生む環境とは（山﨑公耀・5年）○ハゼの研究実験総集編 ～植物ロウを作ろう～（鎌田彩海・6年）

〔中学生部門〕
○沖縄島名護市屋部川周辺の鳥類調査 ～探鳥地としての可能性を探る～（北村育海・1年）○温度差による打ち水の効果を調べる（鈴木万紀子・1年）○ヘイケボタルの成虫を長期飼育することは可能か？（橋本理生・1年）○紅茶の色を変化させる要因 ～液性面と糖の種類の面からの実験と考察～（大田香緒里・2年）○カエルの体色変化に関する研究 Part2 ～ストレス（刺激）は体色変化に影響するか～（大見智子・2年）○不死身の秘密・甦る植物 ～根からの植物の再生とメカニズム～（樫村理喜・2年）○野菜くず紙は使えるか（永原彩瑚・2年）○なぜ氷は空気中よりも水中の方が融けやすいのか（髙塚大暉，伊藤光生・3年，広野 碧・2年）○人間の体温調節に関する研究（堀田文郎・3年）

〔高校生部門〕
○2つ穴空気砲および非円形の空気砲の考察（佐藤健史，梶原理希・1年）○光は農薬の代わりになるか？ ～LEDによる草花の伸長制御～（荒谷優子・3年，逸見愛生・2年）○花のチカラ ～被災地復興支援プロジェクト～（市沢理奈，中山歩美，若本佳南，荒谷優子，赤石譲二，西塚 真，山田大地・3年，小町一麿，阿部加奈江，佐々木里菜，砂沢愛依，日沢亜美，逸見愛生・2年）

第7回：2012年

〔小学生部門〕
○液ダレしないしょう油さし（安田匠吾・3年）○アオスジアゲハの最後のフンの正体（渡邉大輝・3年）○猪名川でミニ水車発電（熊ノ郷健人・3年）○アサガオの不思議な芽（中村一雄・4年）○変形菌の研究　変形体の動き方と考え方 2008〜2012 変形体の「自分と他人」の区別と行動について（増井真那・5年）○庭の水の秘密（中里真尋・5年）○びっくり!!水面散歩する貝のナゾ（永原蒼生・6年）○本当に古いゆで玉子ほどむき易くなるのか（山﨑公耀・6年）○紙ふうせんの不思議（田中琴衣・6年）○種のカラの役割の研究 〜ひまわりとかぼちゃの種を使って〜（河村杏衣・6年）

〔中学生部門〕
○ゲル化に関する研究（小板橋里菜・1年）○アサガオ 〜モーニングブルーの謎に挑む PartⅡ〜（鈴木ゆみ子・1年）○生分解性プラスチックの研究 Part2（大澤知恩・2年）○カメの秘密調べ　9年次 〜コンクリート化された水田地域のクサガメ行動調査〜（金澤 聖・3年）○ダンゴムシの交替性転向反応に関する研究（今野直輝・3年）○かやぶき屋根はどうして雨もりしないのか？（池田隼人・3年）○パンを焼くと柔らかくなる秘密（渡部 舞・3年，與那覇勝龍，ロ シンイー・2年）

〔高校生部門〕
○木質燃料の質量と燃焼効率 〜おがくずとヒノキチップ，自作ストーカー炉を使った実験〜（中西貴大・1年）○地元の主要産業品である高級石材凝灰岩「竜山石」の特性を活かした塗装剤の開発（松下紗矢香，岩本有加，竹谷亮人・2年）○旋光現象の巨視的考察（岡田知治，足立享哉，佐嘉田悠樹，中塩莞人・3年）

第8回：2013年

〔小学生部門〕
○おまつりの屋台の輪投げでねらったけい品を取りたい！（小長谷純世・3年）○消しかすがよくでる消しゴムは、よく消える消しゴムか？（東 虎太郎・3年）○弟の肌をしっとり大作せん（西村貫太朗・3年）○アオスジアゲハの最後のフンの正体2 〜ワンダリングの目的を推理する〜（渡邉大輝・4年）○せん入・くもの巣城（熊ノ郷健人・4年）○ベランダ熱っちっち お母さんを助けろ（野田哲平・5年）○だんごむしとわらじむしの甲らが白く、土が黒くなってきたのはなぜだろう？（片岡柾人・5年）○音の伝わり方の秘密（石 楓大・6年）

〔中学生部門〕
○アリのフェロモンについて（大輪奏太朗・1年）○ラワンの紙模型の研究（佐藤璃輝・1年）○りんごの変色を防ぐには（下津千佳・1年）○ぬれると色が変わるのは何故？（田中琴衣・1年）○6種の繊維の性質（町田華子・2年）○環境の中から見つけるセルラーゼ（田渕宏太朗・2年）○植物のネバネバ汁に意外なパワーを発見！（片岡澄歩・2年）○ゲルマニウムラジオに関する研究 〜コンデンサとコイルを手作りして〜（南雲千佳・3年）○スピンくるが逆回転する仕組み（ロ シンイー・3年，市川浩志，深谷夏希，古田創士・2年）

〔高校生部門〕
○草花による水質浄化システムの研究（葛形小雪，野田寿樹，四戸美希，佐藤晴香，松橋奈美，佐々木 愛，種市雪菜・2年）○粉体の堆積（中西貴大・2年）○効率よく風を送るうちわ（田中晋平，藤野功貴，前垣内 舜・3年）

第9回：2014年

〔小学生部門〕
○くるくるコインのらせん運動 〜なぜ後から入れたコインが先に入れたコインをぬかすのか？〜（木村佳歩・3年）○カラをぬいだカタツムリ発見！（片岡嵩皓・3年）○アゲハチョウの大きさの謎 〜幼虫を枯渇させるとどうなる？〜（立花 健・4年）○「葉」は植物の「脳」だった!! 〜カイワレの観察から分かったこと〜（安田匠吾・5年）○蛹の25% から分かること…（渡邉大輝・5年）○黄色って何色？! 〜色のひみつにせまる〜（田中拓海・5年）○セミの羽化のひみつ 〜生死をかける30分〜（清木 葵・5年）○吸い付く水と戦って浮きゴミをうまく取る方法（熊ノ郷健人・5年）

〔中学生部門〕
○千里浜なぎさドライブウェイは砂浜なのにどうして車で走れるのか（佐藤 和・1年）○変形菌の研究 2008〜2014年 変形体の「自他」を見分ける力とカギ（増井真那・1年）○紙飛行機の研究 どうしたら長く飛ぶ紙飛行機が作れるか 〜主翼の翼型と飛行時間〜（茂木幹太・1年）○お茶の泡はなぜたつか（岩松千佳・2年）○大気中の二酸化炭素濃度の動態に関する研究（降雨の影響）（稲田雅治，賈 元日・2年）○スウィーツを科学する 〜スポンジケーキ編〜（河村杏衣・2年）○（生物模倣）昆虫の翅型風力発電機の開発（佐藤圭一郎・3年）○ゴルフボールのディンプルにヒントを得てプロペラを考える（田渕宏太朗・3年）

〔高校生部門〕
○切断した根が接着する!? 〜セイヨウタンポポの根の傷が接着するための内的・外的要因を探る〜（樫村理喜・2年）○人間による音声の知覚と分解 −それに表れる計算機との相違−（中西貴大・3年）

第10回：2015年

〔小学生部門〕
○甘藷珍学（稲波里紗・3年）○床屋のサインポールのひみつにせまる 〜もっときれいに見えるポールをさぐれ!!〜（中條朋香・3年）○キノコがはえた お父さん，お母さんが子どもだったころと日本の気候はちがうの？（木村佳歩・4年）○最

後までおいしいふりかけのひみつ（長野佑香・4年）　○図工の作品を壊さずに持ち帰りたい　〜学校帰りの荷物の運び方〜（東 虎太郎・5年）　○アオスジアゲハの色調べ　パート5〜光で変身，不思議な仕組み〜 変身に必要な光の量と光の色は？（井原愛佳，三谷京子・6年）　○家庭用正倉院（熊ノ郷健人・6年）　○斜面をリズミカルに下る動物の秘密（松園若奈，酒井理心，諸岡亜胡，杉本悠弥，小深田拓真・6年）　○光で幼虫の色を操る（渡邉大輝・6年）

〔中学生部門〕
○ダンゴムシとワラジムシに『防カビ力』を発見！（片岡柱人・1年）　○歌詞とメロディーで変わる学習効果の不思議−脳の聞き分けに注目して−（勝山 康・2年）　○人とすれ違った際に起きる風について（栁田彩良，千葉さくら・3年，加藤佐和，清水ひかり・2年）　○継続的観察によって解明した平戸市に生息するワスレナグモの生態　〜特にキシノウエトタテグモと比較した生息環境の違いについて〜（相知紀史・3年）　○壁を登る動物の足のつくりの応用　ヒトの力で壁を登る（沖山颯斗，浦木勇瑠，西村泰雅・3年，山下慎太郎・2年）　○地衣類と微環境 3年次 つくば市内の公園に生育する樹木における着生地衣類の分布と微環境の関係（小野寺理紗・3年）　○嘉津宇岳のバタフライ・ウォッチングⅣ　〜チョウの年変動と温度耐性実験〜（北村 澪・3年）　○アリの役割分担を探る② 2015年クロオオアリ観察日記 part5（世鳥山和也・3年）

〔高校生部門〕
○セミ研究　10年次　終齢幼虫が羽化場所を決めるための習性について −先に羽化した他個体の羽化殻に集まるのか−（内山龍人・1年）　○後頭骨化石からイルカの首の動きを復元できるのか（岡村太路・2年）

第11回：2016年
〔小学生部門〕
○冷凍庫のひみつ（村上智絢・3年）　○根りゅうきんできるかな？（溝口貴子・3年）　○洪水で浸水した常総市の虫は生き残れたのか？（田村和暉・4年）　○五重塔はなぜたおれないのか？（雨宮龍ノ介・4年）　○"種のパワー"研究 発芽の秘密（武田悠楽・4年）　○走れ走れハムスター（恒松望花・4年）　○ぼくの絵具（蘭 裕太・4年）　○風鈴が風を受けるとき（長野佑香・5年）　○海水から世界を救うおじぎ草　〜耐塩性から海岸植栽の可能性まで〜（髙垣有希・6年）　○ジンリックをカッコよく飛ばせたい　〜フリースタイルスキーを科学的に考える〜（東 虎太郎・6年）

〔中学生部門〕
○クワガタムシは右利き？左利き？（嶋田星来・1年）　○ワニを解剖してみたら…　〜1本の骨から全長を推定する〜（田中拓海・1年）　○つるの研究　〜正確な測定と解析〜（大川果奈実・1年）　○斜面を下る二足歩行のおもちゃの秘密（小深田拓真・1年）　○回れ！不思議なタネ ボダイジュ（大谷深那津・2年）　○「ながら勉強」をするとなぜ学習効果が落ちるのか　〜脳のマルチタスク処理に注目して〜（勝山 康・3年）　○飛ばそう！クルクルグライダー　〜主翼の回転するグライダーに、レゴ人形を乗せて滑空できるか〜（服部泰知・3年）　○風船ポテトチップス作りの秘訣（糞部 誉，佐野充章，瀬尾圭司，小野佑晃・3年）

〔高校生部門〕
○ファンプロペラの効率アップ　〜風を変えるシンプルな表面加工〜（田渕宏太朗・2年）　○蚊が何故人間の血を吸いたくなるのかを、ヒトスジシマカの雌の交尾数で検証する（田上大喜・2年）　○「粉体時計」の実現報告及びそのメカニズムの数理的考察（國澤昂平，伊東陽菜，友野稜太・3年，荒谷健太，大西巧真，岡部和佳奈，籠谷昌哉，三俣風花・2年）

第12回：2017年
〔小学生部門〕
○ウジが発生しないミミズコンポストを作る（池野志季・3年）　○スーパーボールを、水面で弾ませたい！パート2（坂崎希実・4年）　○立体プラネタリウムを作ろう（笹川双葉・4年）　○オリーブの不思議な力（酷島駿貴・4年）　○昆虫の新能力を発見か⁉ 水死したはずのゾウムシが生き返った‼ パート2（田村和暉・5年）　○最強のポイ（稲波里紗・5年）　○夢を見るのはどんな時？（徳留理子・5年）　○清水の舞台の秘密（雨宮龍ノ介・5年）　○キャッチャーはつらいよ　〜少年野球のキャッチャーが暑い夏を乗り切るために〜（神﨑 咲・6年）

〔中学生部門〕
○つるの研究　〜巻きつるは光を感じるのか〜（大川果奈実・2年）　○風力発電に適した羽根の研究　〜ペットボトルを使った風力発電に適した羽根とは〜（山道陽輝・2年）　○金の赤色コロイドをつかまえろ（川村ヒカル・3年）　○一滴から深まるクレーターの研究（吉田優音・3年）　○水の輪のメカニズムの解明（伊東実聖，加藤聖伶，中島大河，龍岡紘海・3年，千葉大雅，乙津昂光海，古屋良幸・1年）　○コップから流れる水の形（岡野修平，原田大希・3年，塚越 新・2年）　○ヤマビルの刺激因子に対する応答に関する室内および野外実験（鞠子けやき・3年）　○凍らせたジュースのおいしい飲み方　〜溶解・冷却時間と凝固点降下から考える〜（宮内唯衣・3年）

〔高校生部門〕
○水切りの謎に迫る（山下龍之介，中尾太樹，山下ひな香・3年）

第13回：2018年
〔小学生部門〕
○地すべりが起きるのはなぜ？（太田瑛麻・3年）　○金魚はかしこいのか？　〜えさをもらうために人間をよぶのか〜（松本七星・3年）　○ぴったりうちわを探れ（丸山紗楽・3年）　○ザ・塩 Part3（加藤恵硫・5年）　○カレーのカビが生える条件を調べよう（金城凜子・5年）　○継母のひみつ。（村上智絢・5年）　○スーパーボールを水面で弾ませたい！パート

３（坂崎希実・5 年）○天下一の『通し矢』の記録を生み出した三十三間堂の秘密 ～120 m の距離を射通す驚異の成功率の謎を解く～（雨宮龍ノ介・6 年）○デントコーンはなぜキセニアをおこさないのか（小野琴未，坂部汐梨・6 年）○カマキリの眼 ～カマキリが見ている世界～（出口周陽・6 年）

〔中学生部門〕

○ハスの葉柄内にみられた謎の膜様構造に迫る（小平菜乃・1 年）○糸が切れる仕組みの解明（山口仁香流，河合 昴・2 年）○塩ラーメンは発電している!?（小路瑛已・2 年）○音響学と物理学から考えたアップライトピアノに関する研究（寺井健太郎・2 年）○うちわのメカニズム（北島優紀・2 年）○風力発電に適した羽根の研究（その 2）～ペットボトルを使った風力発電に適した羽根とは～（山道陽輝・3 年）○ダンゴムシ類の乾燥に耐える力（塚迫 光・3 年）○つるの研究 ～つるは光の色を認識できるのか？～（大川果奈実・3 年）

〔高校生部門〕

○指紋モデルの凹凸による摩擦力増加の研究（大村拓登・3 年）○固まりにくい食塩をつくる ～尿素を用いた八面体食塩の作製～（笹田翔太・3 年）

第14回：2019年

〔小学生部門〕

○街にある虹（松本晴人・3 年）○バッタランド生息地によってちがいがあるのか？（井上雄翔・3 年）○ハンミョウはさい速の虫か ～虫の走る速さの研究～（鈴木健人・3 年）○不思議だな、カニの巣穴（高橋真湖・3 年）○３本足のひみつ（菊地 灯・4 年）○新聞紙の底力（鶴丸 梓・4 年）○水は力持ち！（丸山紗楽・4 年）○カタツムリ生活の秘密巣箱の工夫（日川義規・6 年）○うちの猫は天気予報士!?（坂崎希実・6 年）○植物の発根の観察実験 PART 4 シロツメクサの花と発根の関係（石川春果・6 年）

〔中学生部門〕

○ニホンヤモリとミナミヤモリの体色変化パート２ ～光と模様の関係～（大久保 惺・2 年）○シングルリード楽器における吹奏音の研究（矢野祐奈・2 年）○混ぜるとすごい！カタツムリとナメクジの粘液（片岡嵩皓・2 年）○「響け！クラリネット」～閉管楽器についての音響学的検討・管楽器の響きを可視化する～（谷口あい・3 年）○吊り橋と振動のメカニズム（北島優紀・3 年）○波打った紙を元に戻す方法 ～紙のパリパリ、ザラザラから考える～（坂本帆南・3 年）○ラトルバック　めざせ‼ 360°（東裏昂士・3 年）○雑草なんて言わせない‼ 本当はすごい！タンポポ（岩田くるみ・3 年）

〔高校生部門〕

○オカダンゴムシの共生菌による抗カビ物質生産（片岡柾人・2 年）

第15回：2020年

〔小学生部門〕

○テントウムシのひみつパート３ ～なぜナナホシテントウはピタッと動きを止めるの？～（江﨑心瑚・3 年）○糞虫研究 ルリセンチコガネ 奈良公園の鹿の糞をきれいにしているのは、だあれ？（矢野心乃香・3 年）○自由に形が変えられる水（井上 玲・4 年）○影磁石・光磁石（松本晴人・4 年）○コロナ VS マスク（幾野和心・4 年）○ハンミョウは最速の虫か② ～足のひみつにせまる～（鈴木健人・4 年）○はい水こうにあらわれるダイヤモンドをさがせ！（石橋侑大・4 年）○ザリガニの脱皮の研究（5）満月が脱皮を引き起こすメカニズムの探索とふ化直後からの脱皮の観察（小山侑己・5 年）○フラフープの謎にせまれ！ ～謎解きと成功の秘訣～（平井沙季・5 年）○湯葉のひみつ（春日井美緒・5 年）○水辺のくらしに適応した謎のカメムシの研究（渡邉智也・5 年）

〔中学生部門〕

○よく飛ぶ紙飛行機Ⅶ ～飛ぶ力と尾翼の形～（三宅遼空・1 年）○植物の発根の観察実験 PART 5 シロツメクサの茎と発根の関係（石川春果・1 年）○ニホンヤモリの体色変化 パート３ ～ストレスと模様の関係～（大久保 惺・3 年）○シングルリード楽器における吹奏音の研究２ ～管端形状による反射する振動の変化を解明する～（矢野祐奈・3 年）○火口・カルデラと隕石クレーターはなぜ似ているのか？ ～構造の分析と形成過程の共通点～（山田優斗・3 年）○しみこむヨウ素、逃れるヨウ素、捕まるヨウ素（岡田隆之介・3 年）○カタツムリの研究 パートⅧ ～殻をきれいに保つワケ～（片岡嵩皓・3 年）

〔高校生部門〕

○茶粕と太陽光を用いた水素製造（望月 凌，谷本里音，田中 響，髙木 駿，西村総治朗・2 年）○マグネシウム空気電池の高電圧化と長寿命化（谷﨑信也，髙橋圭吾，宗﨑拓斗・2 年，白川琴梨・1 年）

第16回：2021年

〔小学生部門〕

○オオカミは井戸に落ちるのか？（大友さやか・3 年）○「しずく」から見えた！ はっ水の力（土倉歩美・4 年）○どうして、パプリカは実の中では発芽しないの？（本藏暖香・5 年）○ランドセルでおじぎ実験 ～ランドセルの中身はどうしたら落ちるのか～（髙橋実姫・5 年）○パスタソースの旅路（今野柚希・5 年）○メンマの科学（佐藤迪洋・5 年，佐藤知海・3 年）○「炭」パワーのひみつを見つけよう！パート３ ～環境に優しい「竹炭」燃料電池を作りたい！～（江﨑凜太・6 年）

〔中学生部門〕

○茨城県のトンボの体色変化 トンボの研究 パート 11（井上善超・1 年）○方位磁針を用いた地球磁場に関する研究（2）

方位磁針で伏角を知ることができないだろうか（茶屋本悠司・1年）○簡易紫外線測定機による日焼け対策の検討 ～フォトクロミズムを利用した実験を通して～（芦ヶ原智之・2年）○トウモロコシの遺伝の法則（小野琴未・3年）○蜘蛛の巣はなぜ円網なのか（三浦愛咲・3年）○β－カロテンの人体への吸収率を上げる ～免疫力upのために～（山本亜生子・3年）

〔高校生部門〕

○森林環境保全活動に伴う放置竹林の再利用（渡邉梓月，上夷胡桃，草野雄多，髙谷昂佑，長門杏奈・3年，一ノ瀬美妃，浦添陽勢，神尾桃香，坂田 楓，柴田伊吹，森下真琴，山本雪吹，吉田美優・2年，石橋拓実，原口愛加，平野仁那，森本玲菜，矢竹華奈・1年）

筑波大学 朝永振一郎名誉教授記念室が所蔵する資料の一部は，筑波大学ギャラリーにて常時展示しております。

筑波大学ギャラリー（University of Tsukuba Gallery）の紹介

開館時間： 9：00-17：00（12：15～13：15を除く）

休館日： 土曜日，日曜日，祝日，年末年始，
　　　　　その他特に定める日

問合せ： 大学会館事務室
　　　　　（TEL.029-853-7959）

筑波大学ギャラリーは，本学の歴史的資料や芸術作品等を展示し，「総合交流会館」とあわせて，広く社会に向けた情報発信と，皆様との交流の場とするために整備された展示施設です。このギャラリーには，朝永振一郎博士，白川英樹博士及び江崎玲於奈博士の本学関係ノーベル賞受賞者記念の展示，オリンピックで活躍した選手をはじめとする体育・スポーツの展示，主に東京キャンパスに位置し，歴史と伝統のある附属学校の展示，石井昭氏から寄贈された美術品を展示しています。ぜひ一度，筑波大学の見学の際に訪問してください。

アクセス： 関東鉄道バス：つくばセンター（つくば駅）から筑波大学循環（右回り）「大学会館前」下車

あとがき　〜子どもたちのふしぎを育てる「科学の芽」賞〜

呑 海 沙 織

　『もっと知りたい！「科学の芽」の世界』は，筑波大学が主催する「科学の芽」賞の受賞作品を掲載した書籍です。「科学の芽」賞受賞作品のすべてを第1回目から掲載しており，2008年から2年ごとに発行されシリーズ化されています。本書『もっと知りたい！「科学の芽」の世界 PART9』は，第17回（2022年度）と第18回（2023年度）の「科学の芽」賞受賞作品を掲載しています。

　「科学の芽」賞は，全国の小学生・中学生・高校生を対象として，自然や科学への関心や思いを育てることを目的として実施している科学コンテストです。筑波大学の前身である東京教育大学の学長（1956年〜1961年）であり，1965年にノーベル物理学賞を受賞された朝永振一郎先生の功績を称え，筑波大学における「朝永振一郎博士生誕100年記念事業」の一環として，2006年にはじまって以来，毎年実施しています。

　小学生から高校生を対象とした科学コンテストには様々なものがありますが，本賞は，一つの大学が全国の小・中・高校生を対象として実施しているコンテストとして唯一のものといえます。

　第1回目（2006年度）の応募総数は645件でしたが，本書に掲載されている第17回目は2,328件，第18回目は2,210件を数え，国内外から多数の応募をいただきました。これまでに応募いただいた海外の国・地域には，アメリカ，イギリス，カナダ，韓国，台湾，中国，ハンガリー，バングラデシュ，ブラジルなどがあります。一方，「科学の芽」賞受賞数は，毎回大きく変わらず，小学生部門7〜11件，中学生部門6〜9件，高校生部門1〜3件で推移しています。

　なお，「科学の芽」賞には，「科学の芽」賞のほかに，「科学の芽」奨励賞，「科学の芽」努力賞，「科学の芽」学校奨励賞がありますが，第11回目より「科学の芽」探究賞を新たに創設しました。探究賞は，第11回目の募集から，特別支援学校（知的障害）の児童・生徒さんからも応募いただくようになり，その姿勢を表彰するために設けたものです。

　「科学の芽」賞受賞作品は，子どもたちが素直な眼で見て感じた世界のふしぎを，それぞれの発想や工夫により解明しようとした作品が多く含まれています。これが，

本シリーズの特色であり，「科学の芽」賞の特徴でもあるといえます。本シリーズは，科学を通して世界に向き合う子どもたちの独創的な発想や姿勢を大人たちに示してくれるものです。また，夏休みの自由研究など子どもたちの研究を指導される学校の先生方や保護者の方々，そして，何よりも身の回りのいろいろな事柄に『なぜだろう？』，『なんだろう？』とふしぎの眼を向ける子どもたちに役立てていただけるものと考えています。

　ところで，「科学の芽」賞の名称の「科学の芽」ということばは，朝永先生が書かれた色紙のことばから引用されたものです。

　　ふしぎだと思うこと
　　　　これが科学の芽です
　　よく観察してたしかめ
　　そして考えること
　　　　これが科学の茎です
　　そうして最後になぞがとける
　　　　これが科学の花です

　この朝永先生のことばには，科学することの流れが表わされています。しかし自然科学に限らず，あらゆる学びに共通するともいえるのではないでしょうか。

　「科学の芽」賞は，誰もが感心するような高度な研究だけを求めるものではありません。これからも，ふしぎだなと感じる子どもたちの「科学の芽」を大切に育てていきたいと考えています。本書をご覧いただいている大人の方々にも，子どもたちのこうした素朴な疑問を大事にしていただければ幸いです。

　今後とも，「科学の芽」賞へのご理解とご支援をどうぞよろしくお願いいたします。

[「科学の芽」賞実行委員会委員長]

著者紹介

監 修
　永田　恭介　国立大学法人筑波大学長

編集責任
　呑海　沙織　筑波大学副学長：附属学校教育局教育長
　雷坂　浩之　筑波大学附属学校教育局次長
　梶山　正明　筑波大学附属学校教育局教育長補佐

執 筆・編集協力
筑波大学長　永田　恭介
筑波大学副学長：附属学校教育局教育長　呑海　沙織

筑波大学附属小学校
　志田　正訓*　佐々木昭弘　鷲見　辰美　辻　健　富田　瑞枝　（＊執筆責任）
筑波大学附属中学校
　和田亜矢子*　新井　直志　齋藤　正義　佐久間直也　　　（＊執筆責任）
筑波大学附属駒場中・高等学校
　真梶　克彦*　内山智枝子　黒田　圭佑　小林　則彦
　今和泉卓也　宇田川麻由　吉田　哲也　　　　　　　　　（＊執筆責任）
筑波大学附属高等学校
　櫻井　一充*　岡部　玉枝　小澤　啓　勝田　仁之　古寺　順一
　清水　将太　松下　朝子　柳澤　秀樹　山田　剛（執筆当時）　（＊執筆責任）
筑波大学附属坂戸高等学校
　石井　克佳　本弓　康之
筑波大学附属桐が丘特別支援学校
　小山　信博

筑波大学
　受川　史彦　大谷　実　金谷　和至　木村　範子　小林　航　笹　公和
　中野賢太郎　長友　重紀　野村　港二　丸岡　照幸　溝上智惠子　山本　容子　菅澤　直美（執筆当時）

第Ⅱ編「科学の芽」賞を受賞した先輩研究者からのメッセージ執筆
　岡崎めぐみ　東京工業大学理学院化学系　助教
　田渕宏太朗　筑波大学大学院システム情報工学研究群構造エネルギー工学学位プログラム博士前期課程2年
　永原　彩瑚　株式会社ロッテ　中央研究所チョコレート研究一課
　伊知地直樹　東京大学生産技術研究所　特別研究員

もっと知りたい！「科学の芽」の世界 PART 9

2024 年 6 月 19 日　初　版　発　行

監　修　永　田　恭　介
編　者　「科学の芽」賞実行委員会

発行所　筑波大学出版会
　　　　〒305-8577
　　　　茨城県つくば市天王台 1-1-1
　　　　電話（029）853-2050
　　　　https://www.press.tsukuba.ac.jp/

発売所　丸善出版株式会社
　　　　〒101-0051
　　　　東京都千代田区神田神保町 2-17
　　　　電話（03）3512-3256
　　　　https://www.maruzen-publishing.co.jp/

編集・制作協力　丸善プラネット株式会社
装丁・デザイン　森嶋　則子＋スタジオ・マイ
中扉イラスト　　高橋由為子＋スピーチ・バルーン

©NAGATA Kyosuke, 2024　　　　　　Printed in Japan

組版／月明組版　印刷・製本／富士美術印刷株式会社
ISBN978-4-904074-82-4 C0040